CW00419598

Die Schlaf-Formel für Frauen

Blitzschnell einschlafen, endlich durchschlafen & voller Energie aufwachen. Die Komplettanleitung zu garantiert mehr Glück & Lebensfreude. Mit 21-Tage Soforthilfe-Plan

Katja Wenzel

Wichtiger Hinweis!

Mit dem Kauf dieses Buches erhältst du für eine begrenzte Zeit ein E-Book gratis dazu!

Auf der allerletzten Seite dieses Buches findest du den Link zum sofortigen Download!

Blättere schnell vor und sichere dir dein kostenloses E-Book.

Vorwort

Als Frau in den besten Jahren stehst du eigentlich sehr solide im Leben? Du schaffst den Spagat zwischen Familie, Alltag und Job im Grunde zwar so, dass du gut durchs Leben kommst, es fehlt dir aber die Energie für dich selbst? Das ist keine Überraschung: Am Morgen verlässt du gestresst das Haus, weil die Kinder nörgeln, dass sie zur Schule müssen. Anschließend kommst du gehetzt in der Arbeit an und kannst dich hier kaum so durchsetzen, dass auch du auf der Liste der Gehaltserhöhung-Empfänger der nächsten Monate stehst. Warum kannst nicht auch du mit strahlenden Augen durchs Büro tanzen?

Es stellt sich die Frage: Was machst du falsch? Du nimmst dir vor, dich beim nächsten Personalgespräch einfach besser zu verkaufen. Ob dir das gelingen mag?

Mittags musst du schnell nach Hause hetzen, die Kinder warten schließlich darauf, dass Sie nach dem Mittagessen von dir zum Nachhilfe-Unterricht gefahren werden. In der Zwischenzeit musst du die Wocheneinkäufe erledigen, um am Abend beim Essen mit deinem Mann halbwegs Zeit zu finden, über den Elternsprechtag zu reden. Ob du danach noch die Energie für Sport aufbringen kannst?

Nein – heute wird es sicher nichts mehr mit körperlicher Fitness – obwohl du diese dringend nötig hättest. Kaum kannst du all den Stress im Alltag loslassen - die Folge davon: du wälzt dich die ganze Nacht im Schlaf hin und her. Dabei geht dir immer wieder die Frage durch den Kopf: „Was mache ich nur falsch?", oder „Wie schaffen nur andere Mütter, im Job erfolgreich zu sein und dabei ausgeglichen und so fit auszusehen?"

Nachdenklich wirfst du einen Blick in den Spiegel: Deine Schlafprobleme zeigen sich durch Schatten unter den Augen und deine Haut ist fahl. Und du wirkst alles andere als rosig und vital – noch dazu hast du die letzten 5 Jahre gut und gerne einmal 10 Kilogramm zugenommen. Und jetzt?

Glückwunsch zur Entscheidung, dass du nun mein Buch in Händen hältst. Schlafprobleme sind mehr als eine Zeiterscheinung! Ich bin mir sicher, dass du dich in der einen oder anderen Schilderung absolut erkannt hast. So oder so ähnlich verläuft der Alltag vieler deutscher Frauen, die zwar irgendwie durchs Leben kommen, dadurch jedoch persönlich durchaus Federn lassen. Ihre Gesundheit bleibt auf der Strecke – auch sehr zum Leidwesen ihrer Psyche. Die Folge davon: Schlafprobleme, Trägheit, innere Unruhe oder gar erste, depressive Verstimmungen.

Wusstest du, dass Schlafprobleme der Beginn von ausbrechenden physischen und psychischen Krankheiten sind? Lass es nicht soweit kommen! Bitte lies jetzt mein Buch, damit du gegen diese Probleme erfolgreich ankämpfen lernst. Vieles liegt in deiner eigenen Hand – auch du kannst deine Sorgen so lösen, damit du fit, vital, gesund und ohne nervlich allzu große Strapazen durchs Leben kommst. Verabschiede dich von deinen Schlafproblemen!

Ja – willkommen in einer Welt, in der du lernst, Nein zu sagen und nicht alles auf dich nimmst, was dich in einer gesunden Lebensweise behindert. Es liegt an dir, wie du dein Leben meisterst. Gesunder Schlaf ist das A und O dafür, dass du mit Elan, positiver Energie und einer gesunden Lebensweise deinen Alltag meisterst. Wetten, dass sich dann das eine oder andere Schlafproblem von selbst erübrigt? Schlafen ist wichtig. Schlafen hält jung! Schlafen macht schlank! Ohne Schlaf werden wir Menschen krank.

Wetten, dass mein Buch dir dabei helfen wird, wieder ganz in deiner inneren Mitte und in einer gesunden Lebensweise anzukommen?

Inhaltsverzeichnis

Einleitung

Schön, dass du mein Buch in Händen hältst. Alleine schon diese Tatsache zeigt mir, dass du dich nachhaltig dafür interessierst, gesund schlafen zu lernen. Wusstest du, dass es unterschiedliche Schlafphasen gibt? Du hast sicher schon erlebt, dass auch du oft in der Nacht träumst und dann mehr als gerädert aufwachst. Kannst du dann sofort wieder einschlafen? Wahrscheinlich nicht – das fällt uns Frauen oft schwer. Noch dazu kommt es nicht selten vor, dass die Kinder in einer Gewitternacht nicht ein- oder durchschlafen. Wie kannst du hier deinen Partner mit ins Boot nehmen, damit du selbst auch deine notwendige Portion Schlaf tanken kannst?

Tröste dich – jeder von uns hat im Laufe seines Lebens Probleme mit dem Schlaf. Schlafprobleme sind keine Zeiterscheinung – sie gehören mittlerweile zum Alltag vieler Menschen. Nicht immer schaffen wir es, Sorgen loszuwerden oder die Krisen im Leben erfolgreich zu meistern. Doch – das Leben ist nun einmal eine Achterbahnfahrt – es gibt Höhen und Tiefen dabei, die es zu überstehen gilt.

Schlaflose Nächte sind also, wenn du dich in der Mitte deines Lebens befindest, durchaus keine Seltenheit. Quält uns das Gedankenkarussell und wir können unsere Sorgen nicht loslassen, wälzen wir uns die ganze Nacht von links nach rechts. Doch das sind nicht die einzigen Gründe, warum Schlafprobleme entstehen: Manchmal liegt es an den „Basics im Leben“, warum wir nicht zu Ruhe in der Nacht finden.

Wusstest du, dass Kinder anders schlafen als wir Erwachsene? Das liegt an den einzelnen, sehr unterschiedlichen Phasen des Schlafes. In meinem Buch erfährst du natürlich viele wichtige Informationen über den Schlaf im Allgemeinen, damit du verstehen kannst, was vielleicht auch deine Schlafstörungen ausmacht. Mit Sicherheit wirst du von diesem Wissen rund um den gesunden Schlaf sehr bereichert!

Fakt ist – gut zu schlafen kannst auch du lernen. Schritt für Schritt zeige ich dir in meinem Buch auf, wie auch du ein gesundes Leben mit der ausreichenden Portion Schlaf führen kannst. Lass dich inspirieren von zahlreichen Tipps rund um eine gesunde Lebensweise, denn eines steht unumstritten fest: Neben guter Ernährung ist Schlaf das A und O, damit du nicht gestresst und nur aus Gewohnheit „einfach irgendwie" durch deinen Alltag kommst. Guter Schlaf ist das Fundament für ein dauerhaft glückliches Leben!

Neugierig auf viele neue Fakten rund um den Schlaf und wie genau du dieses Wissen für dich im Alltag anwenden kannst? Im letzten Kapitel zeige ich dir genau, wie du in 3 Wochen zu deinem Traum-Schlaf findest.

A) Allgemeines rund um den Schlaf

1. Warum ist erholsamer Schlaf so wichtig?

Keine Frage: Ohne Schlaf geht es einfach nicht! Doch weshalb braucht unser Körper und unser Geist stets die Entspannungsphasen in der Ruhe? Auch, wenn einige Menschen immer wieder versuchen, ohne Schlaf auszukommen oder nicht nach ihrem ureigenen Bedürfnis zu schlafen, fallen allen Lebewesen irgendwann einmal die Augen zu: Der Körper schreit förmlich nach Schlaf.

Im Schlaf regenerieren wir uns von den Strapazen des Alltags, um wieder neue Kraft tanken. Du kannst es dir vorstellen, wie ein Benzin-Auto, das ohne die Zufuhr von Kraftstoff fahren soll: Es fährt einfach nicht! Während jedoch die Technik in der Automobilwelt oder bei anderen Vergleichen leicht zu erklären ist, funktioniert unser Körper anders: Die „Krankheit Schlafentzug" schleicht sich langsam und dennoch unaufhaltsam in unser Leben ein.

Du kannst es dir auch so vorstellen, in einem Vergleich mit der Ernährung: Ernähren wir uns mit einem Mangel oder essen eine Zeit lang gar nichts mehr, verhungern oder erkranken wir nicht sofort. Fehlt dir zum Beispiel Vitamin D, durch die Sonnenenergie konsumiert, merkst du nicht sofort, warum du „mies drauf" bist. Du willst, vielleicht schon mit leicht depressiver Stimmung, weiter deinem Job nachgehen oder musst im Alltag rund um die Familie einfach funktionieren. Nach und nach merkst du erst, dass dein Körper kaum noch positive Energie von außen findet und du lebst in diesem Trott einfach weiter. Denkst du irgendwann, du solltest etwas unternehmen, ist das Leid oft schon unaufhaltsam fortgeschritten: Der Arzt verschreibt dir Antidepressiva – du fühlst dich leer, ausgepowert oder es wird gar schon Burnout bei dir diagnostiziert.

Hättest du bei diesem einfachen und dennoch nicht seltenen Beispiel nicht vorzeitig dagegen steuern können?

Ja – genau deshalb ist Früherkennung äußerst wichtig, um einen Krankheitsverlauf richtig und rechtzeitig zu behandeln. Mein Buch liefert dir wichtigen Input zu diesem Thema.

Einige wissenschaftlich fundierte Studien haben es belegt: Schlafmangel führt zu Konzentrations- und Persönlichkeits -störungen, zu Depressionen oder gar Suizidgedanken. Wenn dein Körper nicht genug erholsamen Schlaf findet, leidest du vielleicht an Muskelverspannung, Blutdruckbeschwerden, Herz-Kreislauf-Störungen oder Stoffwechsel- und Hormonstörungen. Die Atmung und der gesamte Stoffwechsel können mit schlechtem oder einem zu geringen Maß an Schlaf völlig durcheinandergeraten. Möchtest du dich wirklich diesem gesundheitlichen Risiko auf Dauer aussetzen?

Sicher nicht – genau aus diesem Grund solltest du mein Buch unbedingt weiterlesen. Bitte achte auf dich, damit du den Strapazen im Alltag auf Dauer gerecht werden kannst. Ausreichender Schlaf gehört als wichtiges Instrument unbedingt mit dazu.

Doch - warum braucht der Körper überhaupt Schlaf und was passiert genau in der Erholungsphase in der Nacht innerhalb unseres Organismus?

Natürlicher Rhythmus von Tag und Nacht

Es stellt absolut keine Besonderheit dar, dass wir Menschen in der Nacht schlafen und am Tag wachen sollten. Es ist, wie so oft im Leben, dass die Natur von vornherein einiges regelt, was uns Menschen zu einer gesunden Lebensweise verhelfen kann.

Helligkeit und Dunkelheit – der Tag und die Nacht – diese Elemente nehmen gravierend Einfluss auf unsere Sehnerven und auf unser Gehirn. Diese Zeiten geben vor, wann wir ruhen und wann wir wachen sollen. Der sehr natürliche Schlaf-Wach-Rhythmus soll also so gesteuert werden, damit deine Nervensignale wissen, wann Ruhezeit ist – in der Regel bei Dunkelheit.

Dabei spielen die Hormone eine nicht unwesentliche Rolle. Man kennt es doch, dass man so überdreht und aufgewühlt ist, dass man innerlich einfach nicht zur Ruhe kommt. Dies kann daran liegen, dass der Körper das Hormon Melatonin nicht produziert und ausschüttet. Fehlen unserem Körper allerdings vor der Nachtruhe diese wichtigen Wachstumshormone oder das besagte Melatonin, finden wir nicht zum Schlaf und zur inneren Ruhe.

Wenn wir am Tagesbeginn wieder wach werden, steigt der Spiegel des Hormons Kortisol hingegen an. Dieses Hormon steuert, dass wir wieder munter werden und voller Energie den Tag meistern. Du siehst also: Der Schlaf-Hormon-Haushalt mit Melatonin und Kortisol bestimmt weitgehend, wie wir zur Ruhe kommen und wie wir voller Energie unseren Tag bewältigen.

Daneben kommt, wenn wir im Schlafmodus leben, der Körper zur Ruhe. Dein Stoffwechsel, die Arbeit der Verdauungsorgane, die Gehirnleistung und alle anderen Organfunktionen arbeiten auf Sparflamme für dich weiter. Keine Überraschung also, dass wir am Abend eine leicht abfallende Körpertemperatur aufweisen, die sich in der Nacht auch etwas niedriger hält. Erst am nächsten Morgen steigt langsam die Temperatur im Körper wieder an, was uns signalisiert: Jetzt geht der Tag wieder los und ich kann bzw. sollte meine Leistung erbringen. Was heißt in dieser Satz-Zusammenstellung das Wörtchen „sollte"? Sicher hast du es auch oft erlebt, dass du früh am Morgen kaum aus den Federn kommst, wenn du nachts kaum erholsamen Schlaf getankt hast. Dennoch klingelt er unaufhaltsam und ohne Erbarmen: der Wecker neben deinem Bett! Doch gerade nach einer fast schlaflosen Nacht, in der du gegen 4 oder 5 Uhr am frühen Morgen schließlich erschöpft in den Schlaf gefallen bist, produziert der Körper kein Kortisol. Keine Frage – du bist müde, weil dein Stoffwechsel, deine Organe und dein Gehirn in der Nacht kaum eine Erholungsphase genießen durfte. Deshalb „solltest“ du dennoch deinen Alltag meistern, denn: Die Kinder brauchen dich, der Job ruft oder du musst deinen Kleinkindern schließlich ein Frühstück zubereiten.

Kennst du solche Situationen in deinem Alltag? Das Leben erfordert dann einfach, dass du funktionierst und agierst, egal wie und woher du die Kraft nimmst. Aus Frust oder Müdigkeit bist du am Morgen schon schlecht gelaunt und genervt, wenn deine Kinder dir „merkwürdige Fragen“ stellen oder du kannst in der Früh deine Kollegen kaum ertragen, die mit ihrer merklich guten Laune zeigen, dass Sie Spaß am Leben finden.

Schluss damit! Wenn du verstanden, hast, warum der Körper in der Nacht auftanken und sich regenerieren muss, weißt du: Den Schlaf solltest du, so bald wie möglich, nachholen. Genau aus diesem Grunde, damit du selbst nicht auf der Strecke bleibst, musst du kämpfen – kämpfen, für deine Gesundheit. Was spricht dagegen, zum Beispiel den Vater der Kinder mit in den Alltag zu integrieren, wenn er dir mit seiner Hilfe den Alltag erleichtern kann?

Wie schaffst du es also, den so wichtigen Schlaf nachzuholen? In meinem Buch wirst du Schritt für Schritt erfahren, wie du gegenüber dir selbst eines walten lassen kannst: Achtsamkeit! Achtsamkeit ist in meinen Augen das Zauberwort schlechthin, damit du dein gesamtes Leben auf Dauer erfolgreich im Sinne deiner Gesundheit bewältigen kannst.

Doch, halt: Erst einmal erkläre ich dir noch weitere, tiefe Zusammenhänge, damit du weißt, wie der Schlaf funktioniert, welche Schlaftypen es gibt, ob wir die Hormone in der Nacht beeinflussen können und vieles mehr.

Letztendlich sollte dir als Frau, die ca. in der Mitte ihres Lebens steht, vor allem eines bewusst werden: Schlaf ist wichtig! Er ist die Grundlage für dich, für ein erfülltes Leben, das du gesund und voller Tatendrang beherrschen kannst.

Was solltest du dir also vor allem aus diesem wichtigen Kapitel mitnehmen?

Das gesamte Leben kann gut oder schlecht verlaufen. Dabei haben wir Menschen natürlich nicht alles in der Hand, was das Thema Gesundheit anbelangt. Eines jedoch ist eine Tatsache, der du ins Auge blicken solltest:

1. Ohne gesunden und ausreichenden Schlaf wirst auch du auf Dauer kaum ein gesundes Leben führen können.
2. Wenn du sehr gereizt, gestresst und mehr als nervenschwach reagierst, kann dies an mangelndem oder nicht erholsamem Schlaf liegen. Denkst du, dass deine Familie diese Situation auf Dauer auch im Sinne deiner Gesundheit gut findet?
3. Schlechter Schlaf gefährdet deine Gesundheit – und das nicht zu wenig! Es ist, wie mit Alkohol, Nikotin, Übergewicht oder anderen Störungen: Wenn du nicht genügend Ruhe-Phasen einlegst, wirst du niemals ein halbwegs gesundes Leben führen können.
4. Du willst dir helfen lassen? Ja – das ist der richtige Schritt für ein besseres Leben. Allerdings empfehle ich dir hierbei natürliche Methoden und keinesfalls Schlaftabletten. Warum? Die Pillen der Pharma-Industrie bringen oft andere Nebenwirkungen mit sich.
5. Wenn du auf Dauer zu keinem erholsamen Schlaf findest, bietest du den besten Nährboden für schwerwiegende Erkrankungen.

6. Entfliehe dem Spagat eines allzu stressigen Alltags. Stress ist der Auslöser Nummer eins für Schlafstörungen, die dich wiederum in einen Teufelskreis anderer Krankheiten bringen können. Was ist besser? Du erfährst es in meinem Buch...
7. Schlaf ist das A und O für dein Wohlbefinden! Bitte unterschätze dieses Thema nicht!

Doch erst einmal solltest du erkennen, warum wir Menschen unterschiedlich tief schlafen, sich Kinder anders ausruhen als wir Erwachsene und welchen Beitrag du selbst dazu liefern kannst, damit du die richtige Mütze voll Schlaf für dich persönlich bekommst.

Wie viel Schlaf benötigen wir Menschen denn im Durchschnitt?

Rund ein Drittel unseres Lebens verbringen wir Menschen mit Schlafen. Erwachsene benötigen im Laufe eines Tages ca. 7-8 Stunden Schlaf, nur so kann sich der Körper regenerieren. Die Organe arbeiten auf Sparflamme, der Herzmuskel und die Gehirnfunktionen dürfen sich in dieser Zeit erholen. Schlaf ist aber nicht gleich Schlaf. Worauf kommt es hierbei an? Dies erfährst du in den nächsten Kapiteln sehr ausführlich.

2. Die unterschiedlichen Schlafphasen erkennen und verstehen lernen

Was passiert eigentlich genau in den unterschiedlichen Phasen des Schlafes? Vielleicht hast du dir auch selbst schon einmal die Frage gestellt, warum wir manchmal träumen oder aber auch nicht. In diesem Kapitel gehe ich deshalb explizit auf die Schlafphasen ein, die jeder Mensch im Laufe einer Nacht durchlebt: die REM-Phase und die NREM-Phase!

Die REM-Phase (engl. Rapid Eye Movement) – wir träumen, schlummern und genießen den leichten Schlaf

Sehr leicht kannst du dir merken, wie die REM-Phase zu betrachten ist: Sie ist die Phase, in der wir oft träumen oder in der wir uns im sogenannten „leichten Schlafmodus" befinden. Dabei solltest du beachten, dass jeder Schlaf sich in den unterschiedlichen Phasen immer wieder abwechselt.

Während wir langsam in den Schlaf sinken, sinkt der Blutdruck auch nur langsam ab. In dieser Periode erwachen wir schnell wieder und reagieren empfindlich auf Störungen oder eine uns unangenehm erscheinende Geräusch-Kulisse. Wir erholen uns in der REM-Phase nicht wirklich von den Alltagsstrapazen unseres Lebens. In dieser Schlafphase sind wir eher in der Nähe des Wach-Modus im Leben. Wir erinnern uns an unsere Träume und die Augen sind nicht so fest geschlossen.

Woran erkennst du zum Beispiel an einer anderen Person, ob sie sich in der REM-Phase befindet? Ganz einfach: Blickst du der Person ins Gesicht, kann man durch die Augenlider leicht beobachten, dass sich die Pupillen sanft hin- und herbewegen. Unser Schlaf ist im Prinzip ein großes Wunder der Natur. Wenn wir jedoch ausschließlich in der REM-Phase schlafen, erholt sich unser Körper nicht ausreichend.

Dies ist zum Beispiel auch eine Erklärung dafür, dass wir mehrere Stunden Schlaf benötigen, um uns in der REM-Phase vollständig zu erholen. Kinder schlafen oft deshalb im Baby-Alter nicht nur 8 Stunden wie wir Erwachsene, sondern 10 oder 12 Stunden. Erholt sich der Stoffwechsel und der gesamte Organismus nicht richtig im Schlaf, verlängert er automatisch die Zeit der Ruhe-Phase. Kinder befinden sich vorwiegend in der REM- und nicht in der NREM-Phase im Schlaf.

Doch – bitte sorge dich nicht unnötig: Jeder Mensch erlebt das Wechselspiel von REM- und NREM-Schlaf in seinem Leben, ja sogar in einer einzigen Nacht. Auch die Produktion des

Schlafhormons Melatonin im Körper verläuft in unterschiedlichem Ausmaß. Grundsätzlich befinden sich viele Menschen während des Einschlafens und kurz vor dem Aufwachen meist in der REM-Phase. Wie genau sieht dann die NREM-Phase aus?

Der NREM-Schlaf (engl. Non Rapid Eye Movement) – der Körper benötigt diese Phase dringend zur Erholung.

Wie der Begriff (sich bewegende Augen sind nicht zu sehen) schon ausdrückt, finden wir in diesem Schlaf tiefere Entspannung. Meist träumen wir Menschen nicht in dieser Schlaf-Phase. Vielmehr tankt der Körper jetzt pure Energie und kann sich bestens erholen. Hast auch du schon vom Leicht- und vom Tiefschlaf gehört und dir darüber selbst deine Gedanken gemacht?

Tendenziell werden wir in der REM-Phase niemals in einen erholsamen Tiefschlaf gelangen. Vielmehr träumen wir in der REM-Phase, der Stoffwechsel arbeitet auf Sparflamme, die Frequenz des Herzens liegt nicht komplett im Ruhe-Modus. Ganz anders kann dein Körper sich in der NREM-Phase erholen. Allerdings sollte man wissen, dass es auch in dieser Schlaf-Phase unterschiedliche Episoden gibt:

Der so wichtige NREM-Schlaf teilt sich sehr häufig in vier verschiedene Phasen auf:

- 2 Phasen im leichten Schlaf
- 2 Phasen im tiefen Schlaf

Meist ist der Tiefschlaf vor allem dann zu beobachten, wenn wir uns mitten in der Nacht befinden. Nicht immer ist es jedoch so, dass wir bei Einschlafen erst in die REM-Phase gelangen, um dann in die NREM-Situation zu wechseln und mitten in der Nacht dann im Tiefschlaf zu versinken. So haben diverse Schlaflabore gemessen, dass das Wechselspiel zwischen NREM und REM und auch den Leicht- und Tiefschlaf-Phasen durchaus sehr unterschiedlich verläuft. Wir Menschen sind einfach keine Maschinen. Ein gesunder Mensch jedoch gerät mindestens zweimal während seines Schlafes in den Tiefschlaf. Hier kann er sich mit neuer Energie versorgen, die Atemfrequenz nimmt ab und die Muskulatur entspannt sich ganz erheblich.

Also - bitte erkenne selbst, dass dein Körper keine Maschine ist und genauso schläft, wie es die Lebenssituation einfordert. Der erholsame Schlaf ist also kein Konzert á la „wünsch dir was" - im Gegenteil: Wusstest du, dass der Druck schlafen zu „müssen", um wieder besser den Alltag meistern zu können, ungeheuer belastend sein kann? Wenn wir uns allzu stark selbst unter Druck setzen, funktioniert meist gar nichts mehr im Leben! Schlaf oder die einzelnen Phasen davon, kannst du dabei schon gar nicht erzwingen. Doch ich zeige dir, wie du Schritt für Schritt die besten Grundlagen dafür schaffen kannst. Dabei kommt es auf viele äußere und innere Faktoren an, die den gesunden Schlaf fördern. Einen Teil davon kannst du durchaus beeinflussen – wenn auch nicht alles. Genau deshalb jedoch stelle ich dir Schritt für Schritt vor, welche Mechanismen dir dabei helfen können, erholsame Ruhepausen im Schlafmodus zu finden. Wie das funktioniert? Das erfährst du natürlich in den nächsten Kapiteln in meinem Buch.

Mit Sicherheit ist es auch für dich kein Hexenwerk, richtig schlafen zu lernen! Eines vorneweg: Ganz ohne dein Zutun wird es für dich nicht funktionieren, wieder in einen gesunden Schlaf-Rhythmus zu gelangen. Doch alleine schon, ein Bewusstsein dafür zu erlangen, wie wichtig der erholsame Schlaf für uns Menschen ist, bietet uns die richtige Basis dafür, ihn wiederzufinden: den wohltuenden Schlaf in unserem Leben.

3. Wie lernen wir unsere innere Uhr kennen?

Sicher hast auch du schon oft von ihr gehört: von der inneren Uhr. Wie sich der Sekunden-, Minuten- und Stundenzeiger einer Uhr bewegt, so ist auch der Körper und Geist immer in Bewegung. So müssen auch bei dir als Mensch, Atmung, Herzschlag, Verdauung und die Versorgung jeder einzelnen Zelle in deinem Organismus stets weiter funktionieren, auch wenn du dich im Tiefschlaf befindest. Ein gesunder Körper steuert dabei von sich aus ganz alleine, wann er sich die nötige Portion Schlaf einholt, die er braucht.

Allerdings leiden wir im Laufe unseres Lebens tendenziell 1-2-mal in einem Jahrzehnt an Schlafstörungen, die unseren Alltag erheblich beeinflussen. Nicht immer müssen wir jedoch für die Ursachen-Erkennung und die Bewältigung der Schlafprobleme ein Schlaflabor aufsuchen. Auf dieses Thema werde ich jedoch zu einem späteren Zeitpunkt in meinem Buch noch detaillierter eingehen.

Nun geht es darum, zu erkennen, wie die innere Uhr mit den Hormonen und dem Tages- und Nachtrhythmus in unserem Leben zusammenhängt.

Wie bereits erwähnt, regelt unser Körper von sich aus über die Tageszeit und die einbrechende Nacht, wann er ruhen will. Nicht umsonst entspricht es „deiner inneren Uhr" bei Dunkelheit zu schlafen, weil hier das Hormon Melatonin eine nicht unerhebliche Rolle spielt. Wo genau wird das Hormon im Körper produziert und wie wirkt es? Melatonin ist der Bote, der beim Einbruch der Dunkelheit von der Zirbeldrüse (das ist eine kleine Drüse im Gehirn) produziert wird. Das Hormon, das also den Schlaf bei uns auslösen soll und uns mit einem Gefühl der Müdigkeit versorgt, wird vor allem in der Dunkelheit produziert. So gibt es auch deine innere Uhr vor, dass wir bei Dunkelheit müde werden. Letztendlich wird von der inneren Uhr also vorgegeben, wie wir unser Leben idealerweise leben sollten.

Doch zur inneren Uhr gehört noch mehr: So wie sie tickt, steuert sie unseren Schlaf-Wach-Rhythmus. Dadurch befinden wir uns im Laufe unseres Tages immer wieder in sehr verschiedenen Stimmungslagen, die uns mehr oder weniger mit Energie versorgen.

Wer kennt es nicht, dass man nach dem Mittagessen oftmals müde ist und sich nach einer Mütze voll Schlaf sehnt? Nicht selten werden wir nach einem üppigen Essen mit der Hormon-Produktion so beeinflusst, dass wir träge und antriebslos sind. Vor allem nach üppigen Mahlzeiten kann dies durchaus der Fall sein. Außerdem wird unsere innere Uhr nicht unerheblich davon gesteuert, welche Lebensgewohnheiten wir pflegen. Wer also zum Beispiel jeden Tag ein Mittagsschläfchen hält, sehnt sich automatisch zur gleichen oder ähnlichen Zeit nach der kleinen Pause zwischendurch.

Eines steht fest: Wenn wir uns auf Dauer gegen unsere innere Uhr und gegen das natürlich ausgelöste Bedürfnis, zu schlafen oder zu wachen, wehren, so ist dies alles andere als gesund.

Dieses Problem kennen alle Schichtarbeiter: Wer sich jede Woche auf eine andere Arbeitszeit einstellen muss, kämpft ständig gegen die Bedürfnisse seines Körpers an. Das kann auf Dauer nicht gesund sein. Genau deshalb ist der permanente Wechsel zwischen Tag- und Nachtschicht und dem dadurch künstlich zu steuerndem Schlaf auf Dauer Gift für den Körper. Von den Folgen wissen viele Schichtarbeiter ein Lied zu singen: Sie haben sich an die Nachtschicht gerade erst gewöhnt, dann muss der Rhythmus wieder komplett umgestellt werden. Dass hierbei der Körper früher oder später kapituliert, ist mehr als normal.

Deine innere Uhr gibt dir im Leben die ureigenen Bedürfnisse durch einfache Signale bekannt – ein paar Beispiele, die du sicher kennst:

- Wenn du müde bist, gähnst du und sehnst dich nach Schlaf.

- Geht die Sonne im Sommer früher auf als im Winter, willst du auch schon früher in den Tag starten.
- Im Winter sind wir bei Dunkelheit oft schon am frühen Abend träge und kuscheln uns zu Hause müde in die Wolldecke.
- Wenn du ausgeruht bist, willst du Dinge vorantreiben und aktiv sein.
- Wenn wir hungrig sind, möchten wir essen – wehren wir uns gegen dieses Gefühl, ist das unnatürlich.
- Essen wir deshalb, weil wir wirklich hungrig sind, sondern eher aus Lust, Frust oder Gewohnheit, schmeckt uns auch das Essen meist nicht halb so gut, als wenn wir Hunger verspüren.
- Wenn wir unruhig oder schlecht geschlafen haben, fühlen wir uns auch tagsüber wie gerädert.

All diese einfachen Alltags-Beispiele zeigen dir: deine Gefühle und deine Bedürfnisse sind von einer inneren Uhr geprägt. Dabei spielen die Hormone keine unerhebliche Rolle.

Merke:

Das Schlafhormon Melatonin löst in uns Trägheit und Müdigkeit aus. Es ist deshalb auch vielen künstlichen Schlafmedikamenten beigesetzt.

Kortisol hingegen, das Hormon, das unser Körper aufgrund seiner inneren Uhr produziert, lässt uns wach werden. Wir fühlen uns vital, ausgeruht und möchten nicht mehr ruhen.

Ein gesunder Körper produziert, je nach Tages- und Nachtzeit, aus eigener Kraft die Hormone so, wie es Mutter Natur vorgibt. Dies ist auch der Grund, warum wir bei Zeitverschiebungen in den Jetlag geraten oder uns die Umstellung bei der Schichtarbeit schwerfällt.

Hier möchten wir über künstliche Einflüsse unser Schlafverhalten steuern. Völlig zu Recht spielt hierbei der Körper verrückt und wehrt sich gegen seine eigene, innere Uhr.

4. Die Basics im Schlafzimmer – sie bieten die beste Grundlage für eine geruhsame Nacht

Keine Frage – viele Menschen denken viel zu kompliziert, warum sie nicht ein- oder durchschlafen können. Dabei gibt es viele, sehr einfache Methoden, wie du dein Schlafzimmer ausstatten solltest, um die besten Rahmenbedingungen für einen erholsamen Schlaf zu schaffen. Die Basics müssen stimmen!

Es kommt dabei nicht nur auf Licht und Dunkelheit, sondern auch auf die Umgebung im Schlafzimmer an, die dir besten Erholungsraum bietet. Ich stelle dir nun ein paar sehr einfache Dinge vor, die du beachten solltest, damit dein Schlafzimmer vor allem eines ist: ein Ort der Ruhe.

Wenn du willst, kannst du jetzt in dein Schlafzimmer gehen und diesen Raum einmal in Bezug auf folgende Infrastruktur genau unter die Lupe nehmen:

a) Wenig Ablenkung von Technik

Ein Schlafzimmer ist das, was der Name schon ausdrückt: ein Ort zum Schlafen! Diese Räumlichkeit muss also weder mit Fernseher, mit Computer noch mit anderer, aufwendiger Technik ausgestattet sein. Dazu gehört es, dass du das Licht im Schlafzimmer dimmen kannst. Zuviel Licht oder gar strahlende Neon-Röhren gehören einfach nicht in einen Ruhe-Raum! Doch dazu später mehr.

Bitte achte darauf, dass du die Nacht nicht damit beginnst, dass du dein Smartphone neben dir ans Bett legst. Ein Smartphone lenkt ab – es blinkt, gibt Geräusche von sich und du lässt dich von der Technik von deinem erholsamen Schlaf abhalten. Wenn Mails in der Nacht eintreffen, solltest du es in deiner Schlaf-Phase gar nicht (auch nicht im Unterbewusstsein) mitbekommen. Ein Smartphone lenkt ab! Unwillkürlich sind wir dadurch in der Nacht, wenn wir kurz aufwachen, verleitet, einen Blick darauf zu werfen, wenn es neben uns am Bettrand liegt.

Befreie dich bitte von technischem Ballast, es sei denn, es ist das Baby-Phone, das eine bestimmte Zeit lang durchaus seine Berechtigung findet. Ebenso ist ein Schlafzimmer kein Fernseh- oder Kinoraum mit aufregenden Filmen. Diese wühlen dich nicht nur auf – vielmehr lenkt eine „flimmernde Kiste" neben dem Einschlafen von deiner Erholung ab. Kein Mensch also muss im Schlafzimmer so verkabelt sein, dass es ihn vom wichtigsten Element dieses Raumes ablenkt: vom Schlafen!

b) Licht und Raumtemperatur

Wie bereits erwähnt, solltest du vor allem bei Dunkelheit ein- und durchschlafen können. Ein gedimmtes Licht auf dem Nachttisch ist gut, damit du nicht an einem kühlen, dunklen Morgen im Winter nach dem Schlafen beim Anschalten des Lichtes zu sehr in Schockstarre verfällst. Schließlich musst auch du dich erst langsam an den Tag gewöhnen, oder?

Deshalb ist ein warmes, gedimmtes Licht auf dem Nachttisch Gold wert. Außerdem solltest du nicht am Abend, bevor du dich schlafen legst, in deinem Schlafzimmer noch umständlich das Licht auslöschen müssen. Deshalb bietet es sich an, den Strahler an der Decke vor dem Schlafen durch das Licht auf deinem Nachttisch zu ersetzen.

Liest du sehr gerne im Bett? Dann ist natürlich eine gute Leselampe durchaus gut, damit du unter optimalem Lichteinfluss deine Abend-Lektüre genießen kannst. Allerdings ist es immer besser, sich abends nicht mehr mit allzu aufregenden Themen zu beschäftigen. Doch dazu folgen später nähere Details in meinem Buch.

Wie sieht es mit der genau richtigen Temperatur in deinem Schlafzimmer aus? Keine Frage – frische Luft und reiner Sauerstoff begünstigt den guten, erholsamen Schlaf. Deshalb empfehle ich: Eine Raumtemperatur von etwa 15 - 18 Grad Celsius, die frisch im Vorfeld mit Sauerstoff angereichert wurde, ist ideal. Außerdem sind etwa 50 Prozent Luftfeuchtigkeit nahezu optimal, damit sich die Lunge während der Nacht mit gesundem Sauerstoff versorgen kann.

Der Raum sollte allerdings beim Schlafen keiner Zugluft unterliegen – schließlich darfst du in der Nacht nicht krank werden. Es bietet sich an, in einem gut gelüfteten Schlafzimmer die Nachtruhe zu finden, die du dir verdient hast. Dabei ist eine Abdunkelung des Zimmers, die dich am Abend in den Ruhe-Modus verfallen lässt, durchaus von Vorteil. Dafür sind Rollos oder Vorhänge gerade im Sommer, wenn erst spät die Dunkelheit einbricht, zu empfehlen.

Gerade Kinder achten sehr auf die äußeren Einflüsse, um in den Schlaf zu fallen. Im Kinderzimmer sind die äußeren Rahmenbedingungen deshalb doppelt so wichtig. Dein Kind steuert kaum aus seinem Verstand heraus das Schlafverhalten. Genau aus diesem Grund sind Kinder von äußeren Rahmenbedingungen noch stärker beeinflusst als wir Erwachsene.

c) Eine Matratze und ein Kissen, das zu dir passt

Es ist wie verhext: Oftmals quälen uns Rückenbeschwerden oder Kreuz-Schmerzen, ohne dass wir wissen, woher diese Leiden kommen. Fest steht, dass die falsche Matratze oft die Ursache für körperliche Beschwerden sein kann. Bevorzugst du eine harte Matratze aus Federkern oder schläfst du gerne in einem Wasserbett? Hierbei sind die Vorlieben der einzelnen Menschen durchaus unterschiedlich zu bewerten.

Wenn du ein schweres Körpergewicht aufweist, dann ist eine harte Matratze, die nicht bei jeder Bewegung in der Nacht sofort nachgibt, oft besser als eine weiche Unterlage aus Schaumstoff. Schläfst du vielleicht gerne auf einer Latex-Matratze oder in einem weichen, nachgiebigen Wasserbett?

Gerne kannst du dich von einem Arzt oder Experten der Naturmedizin darüber beraten lassen, welche Matratze für deinen Körper gute Schlafbedingungen bietet. Hier liegen die Vorlieben sehr, sehr weit auseinander. Die Auswahl der für dich genau richtigen Unterlage zum Schlafen hängt von verschiedenen Faktoren ab. So kommt es beispielsweise auf folgende Fragen an, die du dir bei der Auswahl der richtigen Matratze beantworten solltest:

- Wie schwer ist der Körper, der auf der Matratze liegt?
- Wie empfindlich reagiert der Mensch, der auf der Matratze liegt, mit Rücken- oder Nackenbeschwerden?
- Wie groß muss die Matratze sein? (Das hängt auch von der Größe des Bettes ab).
- Leidest du an Allergien oder neigst du im Sommer zum Schwitzen? (Dann ist eine Wende-Matratze unter Umständen von Vorteil).
- Liegst du mit deinem Partner zusammen auf der gleichen Matratze? Hierbei sollten möglichst die Schlaf-Bedürfnisse von beiden Parteien berücksichtigt werden.

An diesen wenigen Fragen siehst du schon, dass es immer auf folgendes ankommt: Auf welcher Matratze sich der Schläfer wohlfühlt, hängt immer von seinen individuellen Bedürfnissen ab. Hier ticken Männer und Frauen unterschiedlich. Tendenziell schlafen ältere Menschen besser auf harten Matratzen, die die Muskulatur am Rücken und um die Nacken-Region stärken.

Das Kissen zum Schlafen – ebenso sieht es in Sachen Schlafkissen aus: Auf welchem Kissen wir in der Nacht schlafen, hängt vor allem von unserer Schlafposition ab. So gibt es das Seitenschläfer-Kissen aus hartem Federkern, die Nackenrolle, die ein Erwachsener nicht selten zum Lesen braucht oder das Kissen mit weicher Unterlage und mit nachgiebiger Federfüllung. Gehörst auch du zu den Menschen, die ab und an auf dem Bauch schlafen und dadurch gar das Kissen in der Nacht beiseiteschieben? Für diesen Zweck ist es durchaus von Vorteil, wenn du nur ein sehr kleines Schlafkissen ins Bett legst. Bitte achte stets darauf, dass du dich mit deinem Kissen wohlfühlst.

Daneben gibt es verschiedene Naturmaterialien, die ins Bett gehören. Daunen-Federn sind meist wärmend und leicht zugleich. Allerdings vertragen Allergiker nicht jede Art von Material im Bett. Genau deshalb solltest du, wenn du dich mit erholsamem Schlaf für dich auseinandersetzt, stets mit den richtigen Utensilien in deinem Bett umgeben.

Dazu gehört es auch, dass dein Bett weder zu kalt, noch zu warm ist. Deshalb nehmen viele Menschen im Winter das warme Daunen-Bett her und im Sommer die leichte Steppdecke. Fakt ist: Ein gut durchlüfteter, kühler Raum zum Schlafen mit warmer Zudecke ist im Winter besser als das beheizte Schlafzimmer. Trockene Heizungsluft ist im Schlaf eine Belastung für unseren Atem und unsere Lunge. Deshalb solltest du darauf achten: Lüfte dein Schlafgemach gut und wähle, wenn dir kalt ist, lieber eine warme Zudecke, die dich vor Zugluft schützt.

Neben Kissen und Matratze sorgen auch andere Utensilien im Bett für Wohlbefinden. Eine warme Frottier- oder Biber-Bettwäsche im Winter sorgen für dein ganz persönliches „Wohlfühl-Erlebnis“. Eine duftende, leichte Sommerbettwäsche über der angenehmen Steppdecke verleiht bei Hitze ein angenehmes Gefühl in der Nacht.

Es sind die kleinen Dinge, die für dich und deinen erholsamen Schlaf sorgen. Doch eines hat auf alle Fälle im Schlafzimmer keinen Platz: alle Arten von Störfaktoren!

d) Achte auf Ruhe im Schlafzimmer

Wie du dir sicher vorstellen kannst, ist Ruhe das oberste Gebot, damit du in der Nacht nicht von einer unangenehmen Geräusch-Kulisse gestört wirst. Ziehst du in eine neue Wohnung oder in ein schönes Haus? Bitte wähle dir am besten das Schlafzimmer so aus, damit es mit dem Fenster in die Ruhe der Natur gerichtet ist, wenn dies irgendwie möglich ist. Schlafzimmer, die das Fenster zur dicht befahrenen Straße aufweisen, versprechen vor allem eines: viel Lärm, wenn du das Fenster öffnest. Das solltest du im Vorfeld vermeiden.

Ruhe ist neben Dunkelheit das oberste Gebot, wenn du in der Nacht nicht gestört werden willst. Aus diesem Grund ist es, in meinen Augen, bei einem neuen Wohnraum sehr entscheidend, das Schlafzimmer für jedes einzelne Familienmitglied mit großer Sorgfalt auszuwählen.

Andererseits gewöhnen wir uns an Geräusche wie Straßenbahn, Geräusche vom Bauernhof früh am Morgen in der Nachbarschaft oder an das Martinshorn einer gegenüberliegenden Klinik. Wie heißt es so schön? Der Mensch ist ein Gewohnheitstier. Dennoch solltest du, wenn es irgendwie möglich ist, alle Störfaktoren, insbesondere Lärm und Signale von Technik aus dem Schlafzimmer fernhalten.

Tipp:

Du begibst dich oftmals auf Reisen? Eine Schlafmaske und Ohropax sind schnell in die Reisetasche mit eingepackt und kosten wenig Platz und Gewicht. So kannst du an jedem Ort der Welt sicher davon ausgehen, dass dir äußere Einflüsse in ungewohnten Hotels oder anderen Unterkünften nicht das Leben erschweren können. Warum sonst sollte es in allen Flugzeugen bei Nachtflügen diese Utensilien gratis für die Passagiere geben?

Wer seine Umwelt nicht beeinflussen kann, sollte sich stets selbst zu helfen wissen. Eine Schlafmaske oder Gehörschutz für die Ohren sind jedenfalls oftmals Gold wert, damit uns äußere Störfaktoren beim Schlafen nicht das Leben zur Hölle machen.

5. Die Lerche, die Eule und die innere Uhr: Welche Schlaftypen gibt es und welcher Typ entspricht deiner Persönlichkeit?

In diesem letzten Kapitel zum Thema Umgebung und Schlaftyp lege ich dir nochmals in sehr einfachen Worten dar, dass der Schlaf zwar grundsätzlich ca. 8 Stunden täglich dauern sollte, dass er aber dennoch individuell sehr stark variiert.

Da gibt es die Eulen, die die ganze Nacht aktiv sind. Sie werden dann erst munter, wenn die Lerchen schon die erste Müdigkeit-Phase am Morgen um 11 Uhr erleben. Eulen sind regelrechte Nachttiere. So gelten die menschlichen Eulen auch als Nachtmenschen, die erst ab 21 Uhr so richtig fit werden. Eulen arbeiten gerne in der Nacht und lieben die Ruhe, die sie dann finden und die sie tagsüber nicht erleben. Tendenziell sind vorwiegend sehr junge Menschen Eulen.

Vielleicht kennst du es auch von deinen Kindern – erst ab 22 Uhr begeben sie sich, mit Pizza gestärkt auf Party-Tour? Es ist auch keine Seltenheit, dass regelrechte Eulen erst um zwei in der Nacht ihre beste Stimmung erleben und am produktivsten arbeiten können.

Eulen handeln somit gegen die Natur, die besagt, dass wir bei Dunkelheit eigentlich in den Ruhe-Modus verfallen sollten. Doch so wie Eulen mit ihren leuchtenden Augen andere Vögel als Massen-Tiere darstellen, so sind eben auch die Menschen sehr unterschiedlich in ihrem Schlaf-Verhalten. Während also die späten Eulen beim Zubettgehen den frühen Lerchen begegnen, eignen sich für die aktiven Menschen in der Nacht zum Beispiel folgende Berufsformen:

- Nachtschicht-Arbeiter
- Leute, die gern alleine arbeiten und dafür Ruhe benötigen
- Menschen, die in der Nacht hochkonzentrierte Arbeit vollbringen müssen
- Studenten, die dann lernen können, wenn sie nicht von Smartphone und Co abgelenkt sind

Auch die Eulen bringen also ihre Vorteile mit sich, auch wenn sie gegen die Natur schlafen. Allerdings ist im Laufe unseres Lebens oft eine Umkehr in Sachen Schlafverhalten zu beobachten: Kinder möchten im Teenager-Alter nicht gerne früh zu Bett gehen. Deshalb ist der Kampf um Sätze wie: „Ich will auch mal so lange aufbleiben wie meine Schwester Maja!“ oder ähnliches keine Seltenheit. Jede wache Stunde in der Dunkelheit zählt.

Sind die Teenager dann 18 Jahre alt und volljährig, leben sie ihre neu gewonnenen Freiheiten sehr gerne aus. Sie tanzen die Nächte durch und feiern in der Dunkelheit. Keine Überraschung – mit dem eigenen Führerschein in der Tasche kann den jungen Erwachsenen auch kein Elternteil die langen Aktivitäten in der Nacht verbieten, oder?

Langsam verschiebt sich das Schlafverhalten, wenn wir im Berufsleben unsere Leistung vollbringen müssen. Das heißt, dass wir fit unseren Alltag am Tag meistern müssen. So tanken wir oft die Energie-Reserven dann, indem wir in der Nacht einfach eines vollbringen: genügend Schlaf zu finden.

Bist du vielleicht junge Mutter geworden und deine Kinder haben dich als junge Frau nachts aus dem Schlaf gerissen? Dann weißt auch du sicher: Schlafen in der Nacht ist ein ganz besonders großes Geschenk. So möchten wir dann wieder in der Dunkelheit schlafen und werden automatisch langsam von der Eule wieder zur Lerche. Doch – was zeichnet denn die Lerche aus?

Kommen wir also zu diesen Vögeln, die wissen: „Morgenstund hat Gold im Mund!"

Lerchen sind „frühe Vögel" die gerne am Morgen schon Taten vollbringen, wenn andere Menschenkinder noch tief schlafen. Die frische Energie am Morgen sammeln Lerchen vor allem dadurch, weil sie in der Nacht ausgiebig schlafen durften. Die Lerche ist also am Abend um 22 Uhr sehr müde, weil sie früh am Morgen um 6 Uhr Bäume ausreißen will!

Tendenziell können wir gesellschaftlich folgendes Phänomen beobachten:

- Rentner und Kinder sind Frühaufsteher!
- Im Laufe der Jahre benötigen wir grundsätzlich weniger Schlaf. So reichen einem Rentner oftmals 6-7 Stunden Schlaf, während kleine Kinder 10-12 Stunden am Tag schlafen.
- Egal, ob Eule oder Lerche – wichtig ist, dass du dir den Schlaf in deinem Leben gönnst, den dein Körper dringend benötigt.

Es gibt sie also: die Langschläfer und die Frühaufsteher! In diesem Kapitel will ich klar betonen - ich bewerte nicht, welche Art des Schläfers die bessere ist. Folge deinem Naturell und deinem Urinstinkt. Dein Bedürfnis nach Schlaf wird durch die innere Uhr oft von ganz alleine gesteuert.

Jeder von uns wird REM-Phasen und NREM-Phasen im Leicht- und Tiefschlaf erleben. Im Laufe der Zeit ist es nicht genau an der Dauer der Schlafstunden zu messen, ob die Erholungsphase im Schlaf ausreichend ist.

Es hängt von verschiedenen Einflussfaktoren ab, wie tief und wie lange wir schlafen sollten, damit uns der Körper signalisiert: Ich bin ausgeruht und mit neuer Energie versorgt.

Abschließend zu diesem Kapitel ist nur zu sagen: Akzeptiere, je nach Lebensphase, ob du Eule oder Lerche bist. Wichtig ist stets, dass du genügend Schlaf und ausreichende Erholungsphasen tankst. Schlafe möglichst dann, wie es deinem Naturell entspricht. Schichtarbeiter, die permanent ihre Schichten wechseln müssen, gefährden meist auf Dauer ihre Gesundheit.

Bitte achte darauf, dich genau zu beobachten, und zu berücksichtigen, wie deine innere Uhr tickt damit du so schlafen kannst, wie es dir guttut. Damit hast du die beste Eintrittskarte für ein dauerhaft gesundes, ausgeglichenes Leben.

Tipp:

Du stehst im Beruf und solltest hierbei tagsüber fit sein? Dann achte auf die richtige Dosis Schlaf in der Nacht. Wenn du zum Beispiel wegen der Kinder oft einmal in der Nacht aufstehen musst, hilft es sehr, wenn du mit deinem Partner die Alltags-Aufgaben teilen kannst. Wetten, das hilft auch dir, die richtige Portion Schlaf zu tanken?

B) Welche Einflussfaktoren unseren Schlaf bestimmen

1. Ist Stress der Killer Nummer eins für guten Schlaf?

Im Teil A hast du jetzt sehr viel über die Theorie vom Schlaf gelernt. Du weißt, dass es unterschiedliche Schlaf-Phasen gibt und jeder Mensch ein wenig anders schläft. Auch an dir selbst ist dir sicher schon aufgefallen, dass sich das Verhalten in Sachen Schlaf im Laufe des Lebens verändert, oder?

Die durchaus provokante Frage am Anfang dieses 1. Kapitels im Teil B weist schon klar darauf hin: Dauerhafter Stress kann sicherlich nicht förderlich für gesunden Schlaf sein. Ja – Stress ist im großen Universum unseres ganzen Lebens betrachtet der Killer Nummer 1, der viele Krankheiten auslöst. Wir Menschen geraten in stressigen Situationen immer und immer wieder an unsere Grenzen – muss das sein?

Durch übermäßigen Stress geraten schon unsere Kinder in einen Engpass, der sie zu kleinen, nervigen Seelenmonster werden lässt. ADHS lässt grüßen! Sind wir Erwachsene durch übermäßigen Stress sehr starkem Druck ausgesetzt, können Krankheiten und auch diverse Schlafstörungen entstehen.

Das Herz spielt verrückt, wenn wir nicht richtig schlafen können, wir reagieren mit schneller Gereiztheit und unsere Nerven liegen blank – negativer Stress ist einfach Gift für unseren Körper.

Die Erkenntnis zu gewinnen, dass wir uns in unserer schnelllebigen Zeit möglichst vom Stress lossagen sollten, ist die eine Sache. Doch das Leben spielt einfach manchmal verrückt – nicht jeden seelischen und körperlichen Stress können wir von uns selbst, aus eigener Kraft heraus, beeinflussen. Was sind denn die Stressfaktoren überhaupt im Leben für dich persönlich?

Hier zeige ich dir ein paar Einflussfaktoren auf, die dir sicher nicht ganz unbekannt sind:

- ➢ Schicksalsschläge in der Familie belasten dich.
- ➢ Todesfälle, Krankheiten, der Verlust des Jobs oder finanzielle Sorgen – all diese Probleme im Alltag können auch dir schnell über den Kopf wachsen.
- ➢ du bist einfach überarbeitet und jeder aus deiner Familie hängt ständig mit seinen Sorgen an deinem Rockzipfel? Solche Situationen stressen auf Dauer enorm.
- ➢ Sorgen und Probleme deiner Kinder in Schule, ausbrechende Krankheiten der Kinder oder einfach der Druck, dass du als Mutter dich als Hauptperson für die Kinder verantwortlich fühlst: Dadurch setzt du dich selbst stark unter seelischen Dauer-Stress.
- ➢ du bist im Job nur ein Mitläufer und leidest darunter? Solche Situationen stressen dich im Unterbewusstsein.

Neben dieser Auflistung kommen meist zu Angelegenheiten wie innerem Druck, Schuldgefühlen, die du in dir trägst oder sonstigen, stressigen Situationen noch andere Dinge hinzu. Nicht selten fühlt sich die moderne Frau von heute einfach von der Familie nahezu ausgebeutet, weil sie als Mutter immer funktionieren muss. Daneben sollst du das beste Essen auf den Tisch zaubern, im Geschäftsleben eine gepflegte, schöne und eloquente Frau mit Köpfchen verkörpern und am Abend mit deinen Kindern noch die Schularbeiten durchgehen. Ganz nebenbei beschwert sich dein Mann, dass das Sexualleben auch schon fast eingeschlafen ist. Also – du gibst dir Mühe, frisch geduscht mit wunderschöner Wäsche am Abend ins Ehebett zu schlüpfen, um deinem Mann zu zeigen, welch attraktive Frau du bist!

Am nächsten Morgen zerren die Kinder schon wieder an deinen Nervensträngen, indem sie früh am Morgen schon verschlafen haben und du ihnen in Windeseile nur ein ungesundes Pausenbrot richten kannst. Da kommt es wieder – das schlechte Gewissen.

Kommen dir diese oder ähnliche Situationen vielleicht bekannt vor? Dabei ist der Stress, den wir uns selbst oft bereiten, manchmal sogar regelrecht fest einzementiert in unserer Psyche zu finden. Willst auch du es jedem recht machen und verbiegst dich für alle anderen, nur nicht für deinen eigenen Seelenfrieden? Ja – genau aus diesem Grund fühlen wir uns noch mehr unter Druck gesetzt.

Die Folge davon – in der Nacht dreht sich das Gedankenkarussell. Du kannst kaum zur Ruhe kommen, fühlst dich leer, ausgepowert und seelisch ausgeblutet.

Dabei weißt du, dass Stress nicht gut für dich und deinen erholsamen Schlaf ist. Wie kannst du diesem Teufelskreis entkommen? Ich gebe dir im Laufen meines Buches noch viele Ideen zu diesem Thema. Fakt ist, dass du jetzt schon erkennst: Stress ist Gift für deinen gesunden Schlaf und deinen inneren Seelenfrieden.

Doch auch schon jetzt sollst du grobe Ideen von mir an die Hand bekommen, wie du dich von Stressfaktoren auf ganz natürliche Art und Weise befreien kannst. Selbstverständlich sind nicht alle Lebenssituationen immer von uns selbst beeinflussbar. Eines jedoch hast du in den meisten Fällen selbst in der Hand: deine Einstellung dazu! Welche Methoden helfen vielen Menschen, um sich selbst zu entschleunigen und von innerem Stress zu befreien?

Hier ein paar gute Beispiele, wie auch du Achtsamkeit dir selbst gegenüber pflegen kannst. Das hilft dir dabei, seelische Strapazen loszuwerden.

- Lerne Entspannungsübungen: Meditationen und körperliche leichte Dehnübungen (zum Beispiel beim Yoga) helfen sicher auch dir, zur Ruhe zu kommen.
- Abgrenzung – so lautet das Zauberwort, damit du nicht alles im Alltag als Last auf deinen Schultern tragen musst.
- Finde ein Hobby, das nur dich beflügelt und dir zum eigenen Seelenfrieden verhilft.
- Treibe Sport – hier kannst du dich auspowern und fühlst dich befreit.
- Schreibe dir Sorgen und Nöte von der Seele und verbrenne im Anschluss diesen Zettel.
- Lasse dir von deinem Partner und Familienmitgliedern im Alltag helfen. Fordere bitte Hilfe ein – so kannst du auf Dauer deine Psyche schützen.
- Ernähre dich gesund – dazu in den weiteren Kapiteln nähre Informationen.
- Tanke täglich frische Luft.
- Vertraue dich einer Person an, die dir sehr nahesteht, um dich von deinen Nöten, Ängsten und Problemen loszusagen.

Wer weiß – vielleicht stehst auch du schon kurz vor dem Burnout und merkst es gar nicht? Fakt ist – schlafen wir kaum oder nur sehr unruhig, können wir auch im Alltag kaum richtig agieren. Die Folge: Wir sind schnell gereizt, hasten mehr als gehetzt durch das Leben, was nicht gerade zu einer guten, ausgeglichenen Ausstrahlung beiträgt. Dadurch schaffen wir uns noch mehr Probleme - der Streit nimmt zu, Fehler in der Arbeit passieren immer häufiger und wir agieren unfair gegenüber unseren Kindern. Dadurch quälen uns noch mehr Schuldgefühle – was uns noch stärker seelisch unter Druck setzt.

Schon steckst du drin – im Teufelskreis der aus Stress, Schlaflosigkeit und großer Unzufriedenheit entsteht. Wie kannst du dieser

Abwärts-Spirale auf Dauer entkommen? Du wirst es in meinem Buch erfahren...

2. Die richtige Ernährung am Abend

Sicher ist es auch dir nicht neu: Du bist beim Italiener, die dicken Zwiebelringe auf der Pizza liegen dir die ganze Nacht im Magen. Manchmal essen wir am Abend zu viel, zu fetthaltig und viel zu kalorienreich. Dazu kommt es, dass wir oft zu kurz vor dem Zubettgehen noch große, warme Mahlzeiten zu uns nehmen. Genau aus diesem Grund solltest du in Sachen Ernährung eine Lebensweise an den Tag legen, die dich gut schlafen lässt.

Dabei empfehle ich dir grundsätzlich:

- Wähle am Abend leichte Speisen aus, die nicht schwer im Magen liegen.
- Gekochtes Gemüse ist besser als nur Rohkost, die du vielleicht nicht verträgst.
- Bitte iss ca. 4 Stunden vor dem Schlafengehen gar nichts mehr.
- Energieschübe in Form von alkoholischen Energy-Drinks, Kaffee oder anderen Suchtmitteln, wie zum Beispiel die Zigarette an der frischen Luft am Abend können dich vom geruhsamen Schlaf abhalten. Alles, was pusht, solltest du am Abend nicht konsumieren.
- Vermeide vor allem folgende Lebensmittel am Abend: zu viel tierisches Fett, Süßigkeiten aller Art, blähende, schwer verdauliche Speisen und zu üppige Mahlzeiten.
- Den Verdauungsschnaps nach dem Essen (zum Beispiel Magenbitter) kannst du dir ersparen, wenn du dich von Anfang an sinnvoll ernährst.

Überhaupt ist gesunde Ernährung das und O, damit du vital, voller Energie und auch schlank deinen Alltag meisterst. Wenn unser Körper mit der nötigen Energie, aber auch mit den so wichtigen Vitalstoffen wie Vitaminen, Mineralstoffen, Spurenelementen und Co versorgt wird, kann der gesamte Organismus vernünftig arbeiten. Bitte achte darauf, dass die Verdauungsorgane vor dem Zubettgehen nicht zu stark belastet sind.

Kennst du den Spruch: „Das liegt mir zu schwer im Magen?“ Ja – vor allem in der Nacht sollten wir unbedingt darauf achten, leicht verdauliche, pflanzliche Kost zu uns zu nehmen. Dazu gehören Gemüse-Pfannen, leichte Reisgerichte oder magerer Fisch und nicht blähende Salate.

Bitte achte auf dich – gute Ernährung ist das ausschlaggebend, damit du auch in Sachen Schlaf ein wichtiges Wort ausleben kannst: Achtsamkeit!

Tipp:

In Sachen Essen solltest du stets unter anderem darauf achten, nicht zu viele Kalorien zu dir zu nehmen. Wenn du dich vital, ausgewogen und kalorienbewusst ernährst, geht es auch deiner Psyche besser. Wenn du noch dazu stolz auf dich bist, das eine oder andere Kilo dabei abgenommen zu haben, wirst du automatisch auch besser schlafen können. Ist es nicht schön, dass auch du mit gesunder Ernährung dem Teufelskreis von schlechtem Schlaf dauerhaft entkommen kannst?

3. Sport vor dem Schlafengehen oder Sport früh am Morgen?

Keine Frage – jeder Mensch sollte Sport betreiben. Sport beflügelt unsere Seele. Sport befreit und kurbelt unseren Stoffwechsel an. Durch Sport stärken wir die Funktion unseres Herzens und sorgen dafür, dass wir schlank, vital und erfolgreich unsren Alltag bewältigen.

Doch – ist es der richtige Zeitpunkt, vor dem Zubettgehen noch Sport zu betreiben?

Dazu solltest du wissen: Sport ist immer gut. Warum sollten wir Sport in den Alltag in großer Regelmäßigkeit integrieren? Sport hilft uns dabei, schlank zu werden (oder zu bleiben), den Stoffwechsel anzukurbeln und die Muskulatur zu stärken. Natürlich ist auch Sport dadurch für einen erholsamen Schlaf gut. Wird die Funktion deines Herzens gestärkt, wirst du in der Nacht durch erholsamen Schlaf und dem reduzierten Herzschlag wieder zu richtigen Erholungsphasen kommen. Somit steht fest – Sport leistet einen sehr positiven Beitrag für dein Wohlbefinden.

Dennoch solltest du nicht vergessen, dass Sport dich pusht. Meist ist der Ausdauer-Sport oder das massive Training im Fitness-Studio sehr aufwühlend für Körper und Geist. Deshalb empfehle ich dir: Bitte führe den Sport, der deinen Stoffwechsel so richtig auf Touren bringt, ca. 2 Stunde vor dem Schlafengehen nicht mehr durch.

Wer hingegen leichte Gymnastik oder einen entspannten Spaziergang kurz vor dem Zubettgehen unternimmt, bewegt sich und regt dennoch seinen Körper nicht zu sehr an.

Sport am Morgen hingegen bringt deinen Kreislauf in Schwung. Durch die Aktivität ganz in der Früh (am besten noch mit keinem „schweren“ Frühstück im Bauch) wird die Fettverbrennung doppelt angekurbelt, was den Effekt der Gewichtsreduktion noch verstärkt. Sport stärkt die Muskulatur und die Gelenke und sorgt dafür, dass du gegen Stress resistent wirst und deinen Alltag besser bewältigen kannst.

Dabei ist sehr wichtig, dass du genau den richtigen Sport für dich entdeckst. Bitte sorge dafür, dass dir der Sport so richtig Spaß in dein Leben zaubert. Während Männer oft Kraft- und Ausdauersport bevorzugen, lieben viele Frauen den Vereinssport, bei dem auch du neue Menschen kennenlernst.

Sanfte Trainingsmethoden von Yoga oder Rücken-Gymnastik kannst du sehr gut in der Gemeinschaft oder alleine durchführen. Wer gerne schwimmt, leistet jede Menge gute Beiträge für seine gesamte Muskulatur. Schwimmen ist für Rücken, Bauch, Beine und für den gesamten Körper ein großer Gewinn in deinem Leben.

Fakt ist – große Aktivität kurz vor der Nachtruhe empfehle ich dir auf keinen Fall. Doch es ist, wie immer im Leben: Bitte achte darauf, was dir deine innere Uhr vorgibt und mit welcher Lebensweise du dich rundum wohlfühlst. Wer es gewohnt ist, am Abend um 19 Uhr den Sport mit den Kollegen zu pflegen, danach noch einen gemütlichen Austausch beim Italiener genießt und danach gut schlafen kann – der sollte seine Alltags-Gewohnheiten ruhig beibehalten.

Nach dem Sport den Abend gut und ruhig ausklingen lassen – dagegen ist nichts einzuwenden. Wer hingegen als Lerche früh am Morgen in den Tag starten will, ist im Frühsport sehr gut aufgehoben. Welcher Trainingstyp bist du? Wichtig ist: Bitte betreibe in Regelmäßigkeit den Sport, der zu dir passt!

4. Wie Nikotin und Alkohol unseren Schlaf beeinflussen

Keine Frage – Suchtmittel wie Alkohol und Nikotin sind generell nichts für eine gesunde Lebensweise. Wenn deine Blutgefäße verkalken und vor allem durch Ablagerungen von Nikotin verengt werden, kannst du an Durchblutungsstörungen leiden. Alkohol hingegen pusht den Körper, die Leber hat an dem Abbau von Alkohol oftmals schwer zu arbeiten.

Diese Suchtmittel sind Gift für unseren Körper und belasten die Organe. Wenn Herz und Kreislauf nicht richtig effizient für dich arbeiten können, können dir gesundheitliche Probleme wirklich sehr zu schaffen machen. Genau aus diesem Grunde empfehle ich dir: Höre auf zu rauchen und zu trinken!

Dazu kommt, dass vor allem Alkohol am Abend zu Magenproblemen führen kann. Wer kennt nicht Sodbrennen oder dauerhaftes Aufstoßen nach einem Cocktail oder einer Flasche Wein? Oft wälzen wir uns dann von einer Seite auf die andere während der Nacht. Das muss nicht sein – genau deshalb gefährden Alkohol und Nikotin auch deinen Schlaf.

Egal, ob du vor dem Zubettgehen oder früh am Morgen Suchtmittel wie Nikotin oder auch Energy-Drinks benötigst: Auf Dauer belasten all die Schadstoffe, die in diesen Drogen enthalten sind, deine Gesundheit. Wenn das Herz nicht richtig durchblutet wird, spielt auch früher oder später der Kreislauf verrückt. Die Lunge kann durch die vielen Suchtmitteln nicht richtig mit dem so wichtigen Sauerstoff versorgt werden. All das schädigt unseren Hormon-Haushalt, die Durchblutung der Organe und den gesamten Organismus.

Genau aus diesem Grund empfehle ich dir: Ist nicht genau jetzt der Zeitpunkt, deine gesamte Lebensweise zu überdenken? Schlafprobleme werden vor allem dann gefördert, wenn du unnötige Süchte auslebst und dadurch den Stress mit dir selbst sicherlich noch förderst. Wieder beginnt ein Teufelskreis:

- Du rauchst, trinkst und ernährst dich falsch? Diese Gewohnheit schleicht sich oft unaufhaltsam in deinem Alltag ein!
- Von außen kommen weitere Einflussfaktoren, die Stress verursachen: Der Alltag im Job, in der Familie oder andere belastende Faktoren wie Krankheiten zeigen: du bist schnell außer Rand und Band.

- Durch den innerlich intensivierten Stress greifst du jetzt verstärkt zu Drogen wie Rauchen, Alkohol oder anderen Suchtmitteln.
- Nur kurzfristig denkst du dir: „Damit geht es mir jetzt besser!"
- Langfristig schädigst du Deinen Körper damit nur noch mehr.
- Schlafprobleme und Süchte geben sich die Hand – mit einer ungesunden Lebensweise in Form von vielen Suchtmitteln schädigst du deine gesamte Gesundheit.

Sehr schnell kannst du an diesen einfachen Beispielen erkennen: Eine gesunde Lebensweise stärkt dein Herz, ist gut für die Gehirnfunktionen und verhilft dir auch zu einem gesunden Schlafverhalten. Wetten, wenn auch du dich von Nikotin und Alkohol ganz im Leben befreist, dass du dann buchstäblich voller Stolz durch dein Leben schreitest? Schlafprobleme erübrigen sich dann meist von selbst, wenn du für dich zufrieden und glücklich deinen Alltag meisterst.

Du wirst dadurch innerlich ausgeglichen, seelisch zufrieden und glücklich dein Leben bewältigen. Denkst du nicht, dass ein Verhalten ohne Sucht die beste Grundlage für einen gesunden Schlaf bietet?

5. Von Medikamenten, Fernseher und mehr...

Keine Frage – sicher hast auch du schon erlebt, dass du einen sehr aufregenden Film im Kino oder im Fernsehen gesehen hast, der dich am Einschlafen hinderte. Ist es wirklich sinnvoll, aufwühlende Lektüre oder Filme am Abend zu konsumieren? Nein – denn dadurch dreht sich das Gedankenkarussell unaufhaltsam und du bist aufgewühlt, aufgeputscht und kannst oftmals nicht zum so wichtigen Schlaf finden.

Ebenso ist es, wenn du Streitgespräche am Abend führst. Deshalb gilt bei Streit, in meinen Augen, hier wieder das Sprichwort: „Aufgeschoben ist nicht aufgehoben“, wenn du diese anstrengenden Gespräche auf den nächsten Tag verschiebst. Bitte achte deshalb darauf, mit deinem Partner und deinen Kindern am Abend im Frieden zu Bett zu gehen. Alles andere belastet nur unsere Psyche - gerade am Abend vertragen wir Menschen dies nicht!

In meinen Augen ist es für den gesunden Schlaf deshalb elementar wichtig, dass du am Abend mit dir selbst Frieden schließt. Dazu gehören: keine aufwühlenden Gespräche, Filme, Diskussionen oder Bücher. Finde Frieden am Abend in dir.

Wie dir das gelingen kann? Dazu liefere ich dir noch sehr genaue Tipps in meinem Buch!

C) Schlafstörungen

1. Insomnie oder Schlaflosigkeit

Tröste dich – jeder Mensch leidet während seines Lebens mindestens in 2 – 4-mal bei gravierenden Lebensepochen an Insomnie. Was bedeutet diese erhebliche Störung für jeden einzelnen Menschen? Bei Schlaflosigkeit wird unterschieden zwischen:

- erheblichen Einschlafproblemen
- Störungen, eine Nacht lang durchzuschlafen
- mmer wieder aufzuwachen und nicht mehr zur Ruhe zu findenimmer
- nach sehr langen Wachzeiten trotz Müdigkeit nicht schlafen zu können

Ich kann es auch ganz einfach ausdrücken: Wer an Schlaflosigkeit leidet und das auf Dauer, ist meist psychisch extrem belastet. Dauernder Schlafmangel zeigt auch bald seine körperlichen Spuren: So bist du, wenn du über einen langen Zeitraum hinweg nur 3-6 Stunden pro Nacht schläfst, nicht nur körperlich nicht erholt, sondern kannst aufgrund mangelnder Konzentration erhebliche Folgeschäden davon tagen.

Nicht selten kommt es aufgrund von Schlafmangel zu Verkehrsunfällen, erheblichen Fehlern bei der Arbeit oder sogar zu Herz-Rhythmus-Störungen. Unser Gehirn kann nicht mehr vernünftig arbeiten, wenn es im Schlaf nicht die wohlverdienten Erholungsphasen erhält.

Was ist die hauptsächliche Ursache von Insomnie? Meist ist es das drehende Gedankenkarussell, welches unser Gehirn nicht zur Ruhe kommen lässt. Nicht selten quälen uns Sorgen, Nöte und andere Probleme, die uns nicht in den erholsamen Schlaf geraten lassen. Wie kannst du dagegen ankämpfen, dauerhaft an Schlafmangel zu leiden? Ich gebe dir zu diesem Thema in meinem Buch noch wertvolle Hinweise und Tipps.

In der Tat fordert jeder gesunde Körper nach ein paar schlaflosen Nächten meist wieder die Portion Schlaf ein, die er braucht. Auch, wenn dich Schicksalsschläge oder andere Probleme beschäftigen, tankt der Körper irgendwann einmal wieder den Schlaf auf, den er dringend braucht.

Was macht der Arzt, wenn du an Einschlafstörungen leidest oder in der Nacht kaum durchschlafen kannst? Nicht selten verschreibt er dir Schlaftabletten. Diese Medikamente enthalten oft das Hormon Melatonin, das ich dir bereits in diesem Buch als schlafförderndes Hormon vorgestellt habe.

Das Problem an Medikamenten, die dir dieses Hormon zuführen, liegt darin: dein Körper produziert Melatonin nicht aus eigener Kraft – folglich kann es zur Abhängigkeit kommen. Was heißt dies genau? Wenn du kein künstliches Hormon mehr von außen zuführst, hast du die gleichen Ein- und Durchschlaf-Probleme wie vor der Medikamenten-Einnahme. Ist nicht alles, was künstlich manipuliert ist, auf Dauer Gift für den Körper?

Ja – genau deshalb willst du auch sicher in meinen Schlaf-Buch erlernen, wie du selbst aus eigener Kraft auf natürliche Weise ein- und durchschlafen kannst.

Insofern empfehle ich dir – überstehe, so gut es geht, diese Schlafprobleme aus eigener Kraft – denn Medikamente lösten auf Dauer nicht deine Probleme. Sollte man nicht jedes Unkraut an der Wurzel aus der Erde ziehen?

Allerdings quälen viele Menschen nicht nur Probleme beim

Einschlafen, sondern auch erhebliche Störungen beim Durchschlafen. Hier kann es rein körperliche Ursachen geben, die dich am Durchschlafen hindern können.

Hier ein paar Gründe für nächtliches Aufwachen:

- der Toilettengang in der Nacht
- störender Geräuschpegel oder unvorhergesehene Störungen durch Licht
- Schmerzen, die plötzlich auftreten
- Unwohlsein durch falsches oder zu üppiges Essen
- Störungen durch Alpträume
- nächtliches Schwitzen oder andere körperlich Beschwerden wie Atmungsstörungen bei Erkältungen

Du siehst: nächtliche Schlafstörungen können durchaus sehr verschiedene Ursachen haben. Genau aus diesem Grunde solltest du versuchen, äußere Einflüsse, die dich stören, so gut wie möglich abzustellen.

Der Einfluss von Licht oder Geräuschen, den du im Vorfeld durch Abdunkelung im Schlafzimmer oder Ohropax fernhalten kannst, ist deshalb von Bedeutung. Allerdings können wir eines nicht immer steuern: Unsere Sorgen, die Nöte und das Gedankenkarussell, das sich unaufhaltsam in uns Menschen dreht. Das ist die Hauptursache für immer wieder auftretende Insomnie.

Tröste dich – jeder Mensch kann Schlafstörungen und Insomnie eine gewisse Zeit lang aushalten. Allerdings empfehle ich dir: Bitte beachte meine Tipps, damit du die gesundheitlichen Beschwerden aufgrund von Schlafmangel so gut es geht einschränken kannst. Insomnie und dauerhafter Schlafmangel führt nicht nur zu Nervenstrapazen, sondern schädigt auf Dauer die Abwehrkräfte, das Gehirn, den

Kreislauf und das Herz.

Wie bereits erwähnt ist eine ungestörte Schlafzeit von 7-9 Stunden am Tag (mit möglichst vielen NREM-Phasen während des Schlafes) für ein gesundes Leben sehr elementar.

Die Insomnie sollte deshalb nach ein paar Tagen auch bei dir immer wieder selbst vom Körper automatisch positiv reguliert werden. Das heißt – nach wenigen schlaflosen Nächten fordert dein Körper den so wichtigen Schlaf selbst wieder ein.

2. Hypersomnie oder Schlafsucht

Die Hypersomnie ist sozusagen das Gegenteil der Insomnie. Was heißt das genau? Wer an chronischem Erschöpfungszustand leidet und jeden Tag vor Müdigkeit immer und immer wieder einschläft, leidet an Hypersomnie.

Dabei ergeben diverse, fundierte medizinische Studien: Rund ca. 20 % der Menschen jeden Alters neigen zur Hypersomnie. Wir fühlen uns dann dauerhaft erschöpft und meistern unseren Alltag nur auf Sparflamme.

Dadurch sind wir unkonzentriert, blass und einfach nicht leistungsfähig. Was können die Ursachen sein, wenn du dauernd müde bist und am liebsten den ganzen Tag im Bett verbringen würdest?

Folgende körperliche Beschwerden stellen Gründe für eine Art Schlafsucht dar:

- Eisenmangel im Blut, der zur Anämie bzw. chronischen Blutarmut führen kann. Hierbei ist der Blutkreislauf gestört, die Körperzellen werden nicht mit genügend Sauerstoff versorgt, was zu dauerhaften Ermüdungserscheinungen und Erschöpfungszuständen führt.

- Medikamenteneinnahme, die uns schläfrig und träge macht.
- mangelnde Bewegung über einen langen Zeitraum.
- falsche Ernährung oder Drogenkonsum.
- zu wenig Sauerstoffzufuhr über viele Stunden hinweg.
- weitere Organstörungen, körperliche oder seelische Ursachen können dich in die dauerhafte Müdigkeit führen.
- Klimawechsel oder Veränderung der Jahreszeiten.

Du siehst – auch die Hypersomnie kann durchaus einmal in deinem Leben eine große Bedeutung einnehmen. Auch hier zählt – alles, was keine chronische Schlafstörung darstellt, reguliert der Körper nach einer gewissen Zeit automatisch wieder von ganz alleine.

Wenn jedoch für viele Jahre oder gar Monate die Schlafprobleme andauern, empfehle ich dir: Such bitte ruhig ein Schlaflabor auf, um im Detail untersuchen zu lassen, wie genau du schläfst.

Was kann ein Schlaflabor alles für dich herausfinden? Ich erkläre es dir natürlich Schritt für Schritt in den nächsten Kapiteln meines Buches.

3. Extreme Schlafsucht oder Narkolepsie

Diese Krankheit wird im Volksmund als Schlafsucht bezeichnet, da wir Menschen bei Narkolepsie kaum mehr in die Gänge kommen. Wie das Wort schon vermuten lässt, verfällt man in einen ähnlichen Zustand wie bei der Narkose. Die Schlafsucht ist somit eine Hypersomnie zentralen Ursprungs, die oft mit den Nervensträngen zusammenhängt. Im Fall einer Narkolepsie solltest du unbedingt genaue Untersuchungen vornehmen lassen.

Meist kommen zur Narkolepsie keine speziellen Atmungsstörungen im Schlaf mit hinzu. Allerdings sind die Schlafkrankheiten, die in Schlaflaboren derzeit erkannt und gemessen werden, nicht immer nur im Sinne von schwarz oder weiß zu betrachten. Hier wird unter anderem genau aufgezeichnet, wie deine Organe in der Nacht arbeiten.

Wir Menschen sind schließlich keine Maschinen, deshalb können sich Schlafkrankheiten wie Narkolepsie oder Atmungsstörungen (gar Atmungsausfälle im Schlaf) auch Hand in Hand gehen. Fakt ist, wenn du die Schlafsucht genauer betrachtest: Dieser Störung liegt eine krankhafte Schlaf-Wach-Regulation zugrunde. Wie äußert sich nun die Narkolepsie?

- während des Tages geraten die Patienten oft in unerwarteten Tiefschlaf. Sie schlafen in der U-Bahn, während der Arbeit oder bei anderen Situationen, in denen sie kurzzeitig zur Ruhe finden, einfach ein.
- die meist angeborene Krankheit tritt bei den meisten Menschen erst im Alter zwischen 18 und 30 Jahren auf.
- die allgemeine Lebenserwartung bei den Patienten ändert sich meist durch die Krankheit nicht.
- allerdings führt die immer wieder auftretende Schlafsucht zu erheblichen Einschränkungen im Alltag. Wer immer wieder in den merkwürdigsten Situationen im Leben in den Tiefschlaf sinkt, gilt oftmals nicht als leistungsfähig.
- die Narkolepsie ist meist neurologisch bedingt und kann in einem Schlaflabor diagnostiziert werden. Der Betroffene kann von sich aus die Krankheit kaum heilen. Doch er kann selbst Gegenmaßnahmen treffen, die als Tipps in meinem Buch noch näher dargestellt werden.

Obwohl die im Volksmund bezeichnete Sucht nach Schlaf oftmals als „Faulheit" oder „Trägheit" bezeichnet wird, solltest du die Narkolepsie sehr ernst nehmen. Kann die Schlafsucht auch mit Medikamenten behandelt werden, die das Bedürfnis nach Schlaf vermindern können? Ja – auch die Narkolepsie kann über eine spezielle Hormonsteuerung reguliert werden. Allerdings gilt auch hier – mit den Kräften der Natur ist diese selten auftretende Krankheit in meinen Augen sinnvoller zu therapieren.

4. Atmungsstörungen oder Schlafapnoe und Schnarchen

Atmungsstörungen oder gar Atmungsausfälle sind eine häufig auftretende Schlafkrankheit. Von Schlafapnoe sind in der heutigen, schnelllebigen Zeit mittlerweile Millionen von Menschen betroffen. Was genau macht die lebensbedrohliche Erkrankung aus?

Bei Schlafapnoe erleiden die Betroffenen regelrechte Atemaussetzer während des Schlafes. Dadurch kann es zu erheblichen Störungen im Herz-Kreislauf-System oder sogar zu massiven Herzkrankheiten kommen. Die Folge: Bluthochdruck, Herzinfarkt oder Schlaganfälle können plötzlich und unerwartet auftreten.

Du kannst dir dies, sehr einfach erklärt, so vorstellen: Durch die regelmäßige Atmung werden alle Organe auch in der Nacht ausreichend mit Sauerstoff versorgt. Sauerstoff ist die Grundlage dafür, dass die Blutzirkulation vernünftig funktioniert und alle Organe mit allen notwendigen Nährstoffen versorgt werden. Keine Überraschung: Wenn wir nicht mehr atmen, werden wir schnell sterben.

Wenn es nun, unbewusst in der Nacht, zu Atemaussetzern kommt, kann auch dies zu erheblichen Risiken für deine gesamte Gesundheit führen. Nicht selten kann hier der plötzliche Tod während des Schlafes eintreffen, wenn die Schlafapnoe im Vorfeld nicht erkannt wird.

Kennst auch du es von deinem Partner, der in der Nacht neben dir liegt, dass er ab und an hektisch atmet oder nach Luft ringt? Natürlich hat nicht jede kleine Atmungsstörung sofort mit einer Krankheit zu tun. Manchmal liegt ein hektischer Atem auch daran, dass wir in der Nacht schlecht träumen oder uns einfach unwohl fühlen.

Fühlst auch du dich sogar vom Schnarchen deines Partners gestört? Schnarchen gehört zu den am häufigsten auftretenden Volks-Leiden während des Schlafs in Deutschland.

Manchmal sind wir sogar bei leichtem Schlaf von unserem eigenen Schnarchen gestört. Dabei ist dieses „Sägen in der Nacht" auf eine ganz einfache Störung zurückzuführen: Durch die Verengung der Atemwege löst das Atmen eine Vibration im Rachen aus. Diese entstehenden Schnarch-Geräusche werden als lästiges Schnarchen bezeichnet. Doch: Warum schnarchen wir Menschen manchmal und manchmal eben nicht?

Wir sind alle keine Maschinen. Manchmal können zu viel Alkohol, die Schlafposition, erhebliches Übergewicht oder die Form der Nase und die des Kiefers zu Schnarchen führen.

Fakt ist, dass nächtliches „Sägen" mit einer gestörten Atmung zu tun hat. Sind die Atemwege verengt (indem du zum Beispiel auf dem Rücken liegst und vielleicht in dieser Position wenig Luft bekommst), stört dies den freien Atemfluss. Manchmal hilft es also schon, den Partner während seines Schlafes in eine andere Position zu bewegen, um dem Schnarchen ein Ende zu setzen.

Andere Hilfsmittel gegen Schnarchen:

- Eine Schnarchschiene, in der Nacht getragen, kann für eine Öffnung aller Atemwege positiv beitragen.
- Es gibt auch Anti-Schnarch-Kissen, die für einen Schlaf ohne störende Geräusche sorgen können.

- Ringe oder Anti-Schnarch-Clips für die Nase sollten für einen befreiten Atem während der Nacht sorgen.
- Ein operativer Eingriff sollte wohlüberlegt sein. Doch auf Dauer kann eine OP dabei helfen, dass du wieder befreit und ohne Störgeräusche in der Nacht atmen darfst.

Keine Frage: Schnarchen ist oft eine vorübergehende Sache, die nach überhöhtem Alkoholkonsum besonders stark ausgeprägt ist. Schnarchschienen oder andere Hilfsmittel sind oft teuer und werden meist von der Krankenkasse nicht bezuschusst.

Außerdem stören sie den betroffenen oft in der Nacht, da sie sich an den Fremdkörper im Gesicht kaum gewöhnen können.

Deshalb ist es auch hier in meinen Augen wichtig: Bitte gewöhne dir eine gesunde Lebensweise mit wenig Alkohol, Nikotin und mit einer gesunden Ernährung an. Vor allem übergewichtige Menschen schnarchen – deshalb ist ein schlanker, vitaler Körper das A und O, damit auch du möglichst wenig Schlafprobleme mit dir herumschleppst.

Keine Frage – Atmungsaussetzer oder Schnarchen kennt fast jeder von uns. Solange diese Probleme keine massive Beeinträchtigung für dein Leben darstellen, verschwinden sie meist von ganz alleine wieder. Allerdings kannst auch du (gerne aufgrund des Feedbacks deines Partners, der die Aussetzer in der Nacht meist besser erlebt als du selbst) der Sache in einem Schlaflabor tiefer auf den Grund gehen.

5. Alpträume oder sonstige Schlafstörungen

Ein Problem, das viele sehr sensible Menschen im Alltag mit sich herumschleppen, kann oft in der Nacht nicht immer abgestellt werden. Stress und psychische Belastung gehören zu den großen Einschränkungsfaktoren in unserer westlichen Welt.

Träume sind Schäume, die in sich zusammenfallen? Ja – Ja und Nein! Doch eines steht fest: Alpträume treten im Leben vieler Menschen auf, die traumatisiert sind und ihre Vergangenheit in der Nacht aufarbeiten müssen. Ob wir es wollen oder nicht – Träume begegnen uns immer wieder in der Nacht. Wir können dies im Vorfeld nicht bewusst steuern.

Ich persönliche habe schon viele Nächte in meinem Leben mit Alpträumen verbracht. Alles, was wir im Alltag während des Tages verdrängen, holt uns irgendwann einmal wieder ein. So ist es keine Seltenheit, dass auch du regelrecht von massiven Träumen wachgerüttelt wirst, wenn du innerlich nicht loslassen kannst.

Dass uns traumatische Erlebnisse in der Nacht vom geruhsamen Schlaf abhalten können, ist logisch. Wenn wir innerlich von Ängsten, Panik oder großen Sorgen geplagt sind, fällt es uns schwer, in der Nacht zur Ruhe zu finden.

Was ist das Gute an Alpträumen oder sonstigen Schlafstörungen wie Schlafwandeln? Meist helfen sie uns, Dinge zu verarbeiten. Jede Phase, in der wir in der Nacht gedanklich nicht zur Ruhe kommen, vergeht irgendwann. Übrigens gehört zum Schlafwandeln auch, dass wir in der Nacht unbewusst in ein „neues, anderes Leben“ eintauchen möchten.

Keine Frage – wenn wir in der Nacht seelisches Leid und inneren Stress in Alpträumen aufarbeiten, ist dies alles andere als eine leichte Lebensphase. Doch hier Medikamente einzunehmen, ist, in meinen Augen, der absolut falsche Weg. Wenn dich schlimme Erlebnisse beschäftigen oder einfach Ängste quälen, die du innerlich verarbeiten musst, kannst du dies nicht ein Leben lang einfach verdrängen. Bestimmte Gedanken – die dich tagsüber vielleicht nur am Rande beschäftigen, weil du im Alltag funktionieren musst und dabei zwangsläufig Probleme verdrängst, suchen sich in der Nacht ein Ventil.

Je nachdem, wie schlimm die Alpträume sind: Versuche, diese irgendwie auszuhalten und mit natürlichen Heilmethoden selbst zu regulieren. Weißt du, dass ich mich deshalb mit guten, traditionellen Kräutern gern selbst therapiere, weil diese absolut ohne Nebenwirkungen einzunehmen sind? Genau aus diesem Grunde wirst du in meinem Buch auch natürliche Heilkräuter und Wege erfahren, die dich vor Alpträumen oder vor Schlafwandel sowie anderen Schlafproblemen schützen können.

Wenn du in der Nacht schweißgebadet aufwachst, gibt es gute Mittel und Wege, nicht die ganze Nacht in diesem Trauma zu verweilen. Hier hilft Ablenkung und positive Energie, die du dir selbst beibringen solltest.

Ein kleiner Trost für alle, die an Alpträumen oder regelrechten Schlafproblemen leiden, die nicht einfach schnell zur Seite zu schieben sind: All diese Probleme verschwinden oftmals nach einer gewissen Zeit wieder.

Das Leben ist eine Achterbahnfahrt – es gibt ein Auf und ein Ab, das wir alle irgendwie aushalten müssen. Nach einer massiven Talfahrt kommt irgendwann ein Hoch. So ist es auch mit Schlafproblemen, die sich in unserer Psyche meist von ganz alleine wieder regeln. Wie kannst du dennoch einen positiven Beitrag für deine Gesundheit leisten?

Natürlich hast du vieles, was dein Geist für dich steuert, selbst in der Hand. Eine gute, optimistische Lebenseinstellung ist die beste Grundlage dafür, dass du mit Erfolg nicht nur deinen Alltag, sondern auch deine Nacht steuerst.

Als Tipp an alle, die an massiven Schlafkrankheiten leiden und sich denken: „Es geht einfach so nicht mehr weiter!" Doch – dein Leben geht weiter! Die Tatsache, dass du mein Buch in Händen hältst, zeigt mir, dass du daran interessiert bist, dich selbst zu heilen. Das ist die beste Voraussetzung dafür, dass auch du deine Schlaf-Sorgen und Krankheiten aus eigener Kraft in den Griff bekommen wirst.

Jetzt schon wünsche ich dir dabei: viel Erfolg!

6. Das Schlaflabor – gehe deinem Problem auf den Grund

Einige Male habe ich im Teil C bereits das Schlaflabor erwähnt. Keine Frage – nicht jeder von uns will sofort die Ursache seiner Schlafprobleme von einer Klinik untersuchen lassen. Wie du jedoch an den doch recht unterschiedlichen Krankheiten in Sachen Schlaf sehr schnell erkennst, ticken wir Menschen alle unterschiedlich. Genau so ist auch jedes Schlafproblem ganz unterschiedlich zu beurteilen. Nicht selten sorgen Atemaussetzer dafür, dass wir sogar extreme Risiken während des Schlafs ausgesetzt sind.

Wenn du an Narkolepsie oder Insomnie leidest, sollte die Diagnose nicht allzu lange auf sich warten lassen. Wie genau kann ein Schlaflabor deine exakte Krankheit erkennen?

Ganz einfach: du gehst mindestens für eine Nacht (meist werden für diesen Zweck mehrere Nächte Klinik-Aufenthalt empfohlen) in ein Schlaflabor. Dort wird dein Kopf und alle anderen, wichtigen Organe an verschiedene Messgeräte angeschlossen. Während deiner gesamten Schlafenszeit wird genau darüber Buch geführt, wie dein Körper, deine Gehirnströme und dein gesamter Kreislauf während der Nacht arbeiten. So bleibt es nicht im Verborgenen, ob während des Schlafes Herz-Rhythmus-Störungen auftreten oder Messungen im Gehirn zu Auffälligkeiten führen. Anhand dieses Protokolls kann im Anschluss ein Arzt genau diagnostizieren, warum es auch in deinem Alltag ggf. zu Konzentrations-Störungen, plötzlichen Tiefschlaf-Phasen oder zu dauerhafter inneren Unruhe kommen kann.

Im Schlaf arbeiten unsere Organe schließlich auf Sparflamme. So wäre zumindest die Zielvorstellung. Es gilt im Schlaflabor zu analysieren, ob die Organe alle wichtigen Aufgaben im Organismus erfüllen können.

Doch nicht alles, was während der Nacht im Schlaf mit uns passiert, erleben wir Menschen aktiv mit. Wir fühlen uns vielmehr am Tag gerädert, gehetzt und nicht ausgeruht. Wenn also deine Schlafprobleme und Symptome auf Dauer immer und immer wieder auftreten und du keinesfalls das Gefühl empfindest, dass du deine Probleme auf natürliche Art und Weise in den Griff bekommst, kann ein Schlaflabor der Ursache auf den Grund gehen.

Was spricht dagegen, sich das Schlaf-Verhalten einmal näher durch Profis beleuchten zu lassen? Hier geht es nur um die Momentaufnahme – diese Betrachtung kann jedoch die beste Grundlage dafür bieten, dass auch du das Unkraut deines eingeschränkten Lebens an der Wurzel ausreißen kannst.

Nur, wenn du auf Dauer weißt, wie du wirklich schläfst und worin ggf. die Störung liegt, wird die anschließende Therapie sicherlich vom Erfolg gekrönt sein. Deshalb lassen viele Patienten die eine oder andere Nacht in einem professionellen Schlaflabor ganz genau unter die Lupe nehmen.

D) Schlafstörungen natürlich beseitigen

1. So beeinflusst du deine innere Uhr – wie kommst du mit Meditation am Abend zur Ruhe?

Du hast in meinem Buch schon sehr viel über Schlafprobleme erfahren. Nun geht es jedoch darum, nicht nur Probleme zu wälzen und zu lamentieren, sondern vor allem darum, die für dich richtige Therapie zu finden, damit du deine Schlafprobleme auch beseitigen kannst. Genau deshalb liefere ich dir in diesem Teil D viele gute Methoden und Wege, wie du dich von Stress befreien kannst.

Die innere Uhr hilft uns Menschen meist dabei, am Abend zur Ruhe zu kommen. Nur wenn du in den Stunden vor dem Zubettgehen bereits den Schlaf einleiten kannst, stehen die Chancen gut, dass du in der Nacht die richtige Portion Erholung für dich tanken kannst.

Doch, ist es wie so oft im Leben: Uns quälen Sorgen, Nöte oder Ängste! Gerade am Abend reden wir mit unserem Partner darüber. Daneben klagen uns die Kinder ihr Leid, dass sie nicht zur Schule möchten und stellen sich quer, ihren Alltag so zu meistern, dass es in deinem Sinne wäre. Und jetzt sollst du für dich zu gutem, erholsamen Schlaf finden?

Was in der Theorie einfach klingt, sieht in der Praxis ganz anders aus. „Runterkommen" - so heißt das Zauberwort, das du vor allem am Abend für dich beherzigen solltest. In diesem Kapitel gebe ich dir jetzt ein paar Tipps dazu, wie auch du am Abend zur Ruhe finden wirst.

Lerne, zu meditieren

Einfache Meditationsübungen helfen uns Menschen dabei, am Abend in unsere seelische Mitte zu gelangen. Dabei gibt es verschiedene Methoden, die dich darin bestärken können, deinen Seelenfrieden für dich ganz alleine zu finden. Hier ein paar Vorschläge für dich, die du ganz sicher einmal ausprobieren solltest, wenn du dich selbst entschleunigen willst:

- Yoga – hier sind Entspannungsübungen und gute Dehnübungen in gutem Einklang miteinander verbunden. So kannst du seelisch und körperlich entschleunigen.
- Qigong – in dieser asiatischen Meditationsübung findest du in deine innere Mitte. Du lernst dabei deine Chakren besser kennen und findest am Abend zur Ruhe. So kannst du Schlafproblemen auf Dauer den Kampf ansagen.
- Progressive Muskelentspannung: Eine Übung, die vielen Menschen hilft, wenn diese regelmäßig durchgeführt wird.
- Autogenes Training – hier lernen viele Menschen, einen sorgsamen Umgang mit Ihren Problemen zu pflegen. Außerdem hilft es dir am Abend, dich so zu entspannen, dass du deine Gedanken von unnötigem Ballast vor dem Zubettgehen befreist.
- Thai Chi: Mit dieser asiatischen Übung betätigst du dich körperlich, jedoch nicht in einem zu hohen, sportlichen Ausmaß. Dabei verschmelzen Geist und Organismus in einen guten Einklang miteinander, was am Abend dein Schlafverhalten positiv beeinflussen kann.
- Geführte Meditationen: Es gibt mittlerweile zahlreiche Videos mit entspannter Musik und schönen Texten, die dich am Abend zur Ruhe kommen lassen.

➢ Zur Ruhe finden mit meditativen Gesprächen: Manchmal ist es gut, für sich am Abend den Seelenfrieden zu finden, indem wir lernen, zu beten. Auch ein sanfter Dialog mit einem anderen Menschen, der dein Gemüt besänftigt, kann dir dabei helfen, innerlich für dich zur Ruhe zu finden.

Du siehst: Am Abend ist es angesagt, deinen Geist auf die Nacht einzustimmen. Ganz egal, ob du dir einen „leichten, berieselnden Film“ ansiehst, der dein Gemüt beruhigt oder ob du professionell die Meditation durchführst, die zu dir passt: Achte vor allem am Abend auf dich und deine Gesundheit.

Guter Schlaf ist das A und O, damit du auf Dauer fit und vital durch dein Leben schreitest. Bitte sorge für dich persönlich für die richtige Mediation und Methode, die dich gut auf eine erholsame Nacht einstimmt.

2. Kräuterkunde – welche Naturschätze helfen dir dabei, gut zu schlafen?

Nicht immer ergibt es Sinn, mit Schlaftabletten auf künstliche Art und Weise den Schlaf herbeizuführen, den wir so dringend für unser Leben benötigen. Warum bin ich als Autorin grundsätzlich gegen alle Medikamente der Schulmedizin? Ganz einfach: Die Pharma-Industrie sponsert oft das, was die Menschen in Form von „harten Drogen“ zu sich nehmen sollten, weil es einem lukrativen Geschäftsmodell entspricht. Viele Apotheken und Großkonzerne in Sachen Arzneien wollen deshalb vor allem eines: Geld verdienen! Doch – sind nicht viele Arzneimittel mit Nebenwirkungen verbunden, die jeder Patient für sich aushalten muss?

An dieser Stelle will ich nicht urteilen. Manche Menschen schwören auf Medikamente, die nicht selten das Hormon Melatonin enthalten, das den Schlaf einleiten soll. In meinen Augen jedoch verursacht es kein gutes Gefühl, wenn ich weiß: Wenn die Medikamente wieder abgesetzt werden, können meine Schlafprobleme erneut entstehen. Wie haben es die Menschen nur vor vielen, vielen Jahren geschafft, mithilfe der Schätze der Natur ihre Probleme selbst zu meistern?

Medikamente müssen richtig dosiert und eingestellt werden. Oftmals sind Magen- oder Darmprobleme oder andere Störungen wie Gewichtszunahme die Folge von Arzneimitteln. Somit kannst auch du mit Medikamenten nicht immer aus dem Teufelskreis, zu dem immer neu entstehenden Symptome kommen, entfliehen. Nebenwirkungen von vielen chemischen Arzneimitteln sind nicht von der Hand zu weisen.

Mit Kräutern wirfst du einen ganz entscheidenden Vorteil in die Waagschale: du kannst und wirst damit nichts falsch machen. Wer am Abend gegen seine Schlafprobleme also wirksame Kräuter aus der Natur zu sich nimmt, kann dabei nur gewinnen. Am besten bereitest du dir selbst einen leckeren Kräutertee zu, der dich am Abend zur Ruhe kommen lässt.

Dabei empfehle ich dir folgende Kräuter, die vor allem bei Schlafproblemen sehr gut helfen:

Johanniskraut – ein Naturschatz nicht nur bei Schlafstörungen

Dieses Kraut, das an deutschen Wald- und Wiesenrändern wächst, ist ein Naturschatz erster Güte, wenn es um deine innere Beruhigung geht. Nur wenn wir Menschen ruhig, besonnen und ausgeglichen sind, können wir auch Schlafsorgen auf Dauer aus unserem Leben verbannen. Außerdem beseitigt diese Mittsommerpflanze auch depressive Verstimmungen und anhaltende psychosomatische Störungen wie Ängste und Depressionen.

Die typische, deutsche Mittsommerpflanze verdankt ihren Namen dem Johanni-Tag, der jedes Jahr am 24. Juni gefeiert wird.

Rund um die Sommersonnenwende öffnet sich in Deutschland das gelbe, strahlenden Johanniskraut in der Natur. Das robuste Kraut wächst mit seinen unverwechselbaren gelben Blüten an Wegrändern, Böschungen, lichten Gebüschen und sogar auf Schuttplätzen. Man sieht daran, wie robust das Kraut ist, dass viele Naturfreunde es in allen Lebenslagen und großen Mengen gerne sammeln.

Allerdings warne ich klar davor, dass das Zucht-Johanniskraut für Heilzwecke zu verwenden, das in deutschen Gärten vor allem für optische Zwecke eingepflanzt wird. Das Heilkraut kannst du, wenn du selbst keine Kräuter sammeln willst, in einer guten Teemischung in jeder Apotheke kaufen.

Anleitung zum Kräuter-Sammeln:

Bitte sammle die großen Stängel mit den Blüten vom Johanniskraut. Hänge diese Stängel an einem dunklen Ort, der trocken ist, umgekehrt auf. Hier eignet sich ein schattiger Platz auf dem Balkon oder auf deiner Terrasse.

Wenn das Johanniskraut dann getrocknet ist, kannst du es mit sauberen Fingern sanft zerbröseln und in einer gut verschließbaren Blechdose aufbewahren. Hier darfst du dir an jedem Tag am Abend zu allen Jahreszeiten einen feinen Tee zubereiten, den du ca. 1-2 Stunden vor dem Zubettgehen ungesüßt genießt. Wetten, mit dieser Kur kannst du auf Dauer deinen Schlafproblemen den Kampf ansagen?

Baldrian – für den inneren Seelenfrieden

Auch dem Baldrian wird eine stark beruhigende Wirkung nachgesagt. Du kannst das Kraut auch als natürliches Arzneimittel zu dir nehmen, das es in Form von Tropfen oder Dragees nahezu in jeder ausgewählten Apotheke zu kaufen gibt.

Hoch und schlank reckt der Baldrian seine massiven, kräftigen Stiele in der Natur. Die luftigen, rosafarbenen Blüten wiegen im Sommer sanft im Wind der deutschen Wiesen. Wodurch zeichnet sich Baldrian besonders aus?

Die zarten Blüten duften leicht und dennoch blumig und angenehm. Wenn auch du gern an Blumen schnupperst, kannst du dich bei einem ausgiebigen Spaziergang am Baldrian erfreuen.

Die Pflanze wirkt auf alle Fälle stark beruhigend auf dein gesamtes Nervensystem. Wetten, dass du mit einer regelmäßigen Tasse intensiv schmeckenden Baldriantees nichts im Leben falsch machen kannst? Bitte genießen den Tee regelmäßige, denn bei allen Naturkräutern zählt vor allem eines: Kontinuität!

Insofern kann ich dir jetzt schon prophezeien, dass ein alle 3 Wochen am Abend getrunkenes Tässchen Tee, deine Schlafstörungen ganz sicher nicht beseitigen wird.

Rezept für einen Tee aus Baldrian:

Wie das Johanniskraut, kannst du auch den Baldrian zur Gänze mit Stängeln und Blüten genauso trocknen. So darfst du die Schätze der Natur sinnvollerweise als Tee das ganze Jahr über weiterverarbeiten. Jetzt nimmst du:

1-2 Teelöffel getrockneten Baldrian 300 ml kochendes Wasser

Zubereitung:

Übergieße die Teemischung mit dem sprudelnden Wasser. Wichtig ist, die Kräuter nicht in einem zu engen Tee-Ei „einzuquetschen“. In einem lockeren Teesieb kann der Baldrian für ca. 10 Minuten seine beruhigenden Kräfte besser entfalten.

Nach der Dauer von ca. 10 Minuten die Kräuter bitte entfernen und den Tee am Abend genießen.

Lavendel – ein feines Kraut der Extraklasse

Der zarte Duft von Lavendelblüten – er ist einfach himmlisch! Genießt auch du diesen in Kräuter-Cremes oder in Duft-Ölen? Ja – denn Lavendel beruhigt hitzige Gemüter und das vor allem am Abend. Wer Lavendelblüten nicht in Form eines Tees, die du übrigens auch perfekt in deinem Salat als Essblüten genießen kannst, trinken will, kann sich selbst ein kleines Duftkissen aus Lavendelblüten basteln. Hier eine einfache Anleitung dazu:

Was brauchst du für dein Duftkissen?

- Viele Lavendelblüten aus der Natur
- Ein kleines Stoffsäckchen oder ein Taschentuch aus Stoff

Wie kannst du das Duft-Säckchen perfekt selbst herstellen?

Zupfe die einzelnen Blütendolden von dem Blütenstamm ab, wenn du die Stängel des Lavendels bereits getrocknet hast. Nun sammelst du die kleinen Blütenblättchen in einem dünnen Tuch aus Stoff. Binde bitte nun das Säckchen einfach mit einem dekorativen Band oder einem Garn zusammen.

Wie kannst du das Duft-Säckchen gut im Alltag einsetzen?

Du kannst die Lavendelblüten einfach in dem Stoff-Täschchen in dein Bett legen. Am besten ist es, die Region deines Kopfes stets mit dem wohltuenden Duft zu umgeben. Deshalb lege ich das Säckchen neben mein Kopfkissen. Vor allem beim Einschlafen kann der beruhigende Duft des Naturschatzes sehr beruhigend, angenehm und inspirierend für die Nachtruhe wirken.

Allerdings kann Lavendel auch perfekt in deinem Kleiderschrank gegen Mottenbefall wirken. Du siehst also: Mit diesem Gartenkraut darfst du einen aktiven, positiven Beitrag für dein Wohlbefinden leisten.

Hopfen – bitte nicht in Form eines Bieres trinken!

Der „Hopfentee“ ist nicht nur in Deutschland das Lieblingsgetränk vieler Männer. Allerdings warne ich davor, Bier als Einschlafmittel zu verwenden. Zum Thema Alkohol habe ich dir in meinem Buch schon berichtet. Alkohol schadet einfach auf Dauer deiner Gesundheit, egal, ob es ausschließlich um Schlafstörungen geht oder nicht!

Ganz genau aus diesem Grunde würde ich persönlich die weiblichen Hopfen-Ähren sammeln. Die rankende Pflanze ist sehr leicht an den unverwechselbaren Zapfen zu erkennen. Dabei darfst du dir einen leckeren Hopfentee selbst zubereiten, der in deinem Organismus sogar eine antibakterielle Wirkung entfaltet. Wer möchte, kann sich natürlich auch eine Tinktur, Tropfen oder gut konzentrierte Dragees aus der Apotheke besorgen.

Rezept für den Hopfentee (garantiert kein Bier):

- 1 TL Hopfen Zapfen in bester Bio-Qualität
- 200 ml kochendes Wasser

Zubereitung:

Bitte übergieße die Zapfen des Naturschatzes mit dem sprudelnden Wasser. Siebe nach ca. 10 Minuten Einwirkzeit die Kräuter ab und genieße den nicht mehr ganz heißen Tee vor dem Zubettgehen in kleinen Schlucken.

Melisse – erfrischend und dennoch beruhigend

Die Melisse überzeugt in ganz Europa als südeuropäische Pflanze mit dem unverwechselbar erfrischenden Geschmack. Sie wirkt sehr vielseitig und wurde sogar in Klostergärten im Mittelalter angepflanzt. Die Heilkräfte der verschiedenen Melisse Arten erzielten bei vielen Menschen hervorragende Wirkung.

Die Melisse gilt seit jeher als sehr wertvoll und war schon immer ein unentbehrlicher Schatz in der Naturmedizin für Jung und Alt. Am bekanntesten ist wohl die Zitronenmelisse, die an vielen Orten in Deutschland ihren Duft im Sommer frei entfaltet.

Wenn sie einmal in einem Garten wuchert und heimisch geworden ist, solltest du dir die beruhigende Wirkung der Melisse keinesfalls entgehen lassen.

Einfaches Rezept für die Wirkung der Melisse:

- 1-2 Tropfen Melissen-Öl

Anwendung:

Bitte verreibe das Öl, das aus der Melisse gewonnen ist, sanft auf deinen Schläfen. So darfst du die beruhigende und antiseptische Wirkung bei einer sanften Kopfmassage des Natur-Krautes vollumfänglich genießen.

Extratipp:

Melissen Tee wirkt übrigens am Abend beruhigend und am Morgen belebend. Das ist bei diesem Kraut kein Widerspruch – deshalb darfst du die Wirkung der Melisse zu allen Tageszeiten im Tee genießen. Außerdem schmeckt die Melisse erfrischend und lecker!

Passionsblume – sie ist nicht nur wunderschön zu betrachten

Die monumentalen, herrlichen Blüten der Passionsblume sind wunderschön anzusehen. Der Vielseitigkeit der Passionsblume, die vor allem in warmen Regionen in den USA wächst, sind nahezu keine Grenzen gesetzt. Doch nicht nur als dekorative Zimmerpflanze überzeugt die Passionsblume in vollem Maße.

Die auch in Mitteleuropa heimische Kletterpflanze wirkt schlaffördernd und beruhigend. Amerikanische Ureinwohner verwenden die Pflanze traditionell seit vielen Jahren als Heilpflanze. Sie wirkt krampf- und angstlösend und wird gerne gegen erhitzte Gemüter effizient verwendet.

Auch in der europäischen Heilpflanzenkunde wird die duftende, dekorative Blume gerne gegen Schlafstörungen verwendet.

Wie darfst du die Heilkräfte der Passionsblume zu dir nehmen?

Spezielles Rezept für alle Duft-Liebhaber:

Die häufigste Art ist es, die Heilpflanze in Form eines Gesundheitstees mit beruhigender Wirkung zu genießen. Deshalb ist die Blume vielen Beruhigungs-Tees, die du in der Apotheke kaufen kannst, standardmäßig beigesetzt.

Allerdings darfst du die Kraft der Blume auch direkt als Duftöl oder Kopfkissenspray anwenden. Wie funktioniert dies?

Wer den Duft der beruhigenden Pflanze liebt, besprüht ca. 1-2-mal pro Woche sein Kopfkissen mit einem speziellen Spray oder beträufelt es mit einer Tinktur der Passionsblume. Es ist, wie bei allem im Leben: Ein Duft kann beflügeln und verzaubern! Was spricht dagegen, die spezielle Duftnote einmal selbst in seinem Schlafzimmer in seiner beruhigenden Wirkung zu testen?

Zusammenfassung der Kräuterkunde gegen Schlafstörungen:

Es ist, wie so oft im Leben: Du darfst, ganz individuell, die Kräuter so konsumieren, wie es deiner Herzens-Entscheidung entspricht. Es gibt Menschen, die beruhigende Tees lieben. Bitte trinke dann den Tee sehr regelmäßig und lauwarm.

Du liebst vielmehr ein Duftöl oder nimmst eine wirksame Tinktur zu dir? Dann genieße die Heilkräuter so, wie es genau deinem Naturell entspricht. Lass deine Nase und deinen Geist durch den aromatischen Duft der Pflanzen verzaubern. Vertraue auf die Schätze der Natur, die, ganz ohne Nebenwirkungen, vollumfänglich ihre Wirkung für dich entfalten können.

Eines steht jedoch unumstritten fest: Glaube versetzt Berge! Nur wenn du auf moderne Heilmethoden der Naturmedizin wirklich aus deiner Mitte heraus vertraust, wirst du deine Schlafstörungen dadurch deutlich besser im Alltag regulieren oder komplett beiseitelegen.

3. Schlafstörungen beeinflussen dein Gewicht und deine Ernährungsgewohnheiten

Können Schlafstörungen wirklich dick machen? Zu diesem Thema habe ich eine klare Meinung, die ich dir in diesem Kapitel näher erläutern werde.

Es wird, durch wissenschaftliche Studien, die durchaus mehrfach bestätigt sind, klar belegt:

Schlafstörungen machen dick! Wie genau kannst du hier den Zusammenhang erkennen?

Ganz einfach – wenn wir in der Nacht nicht schlafen können, ist uns häufig langweilig. Wir können kaum laute Geräusche verursachen, die vielleicht die ganze Familie stören könnten. Daneben ist es nicht immer möglich, den Fernseher anzuschalten oder ein sinnvolles Buch zu lesen.

Eine Frage an dich: Hast auch du schon aus Frust und mitten in der Nacht den Kühlschrank geöffnet, um einfach mal so „zwanglos nach dem Inhalt zu sehen?“

Ja – ich bin mir sicher: Dieses Verhalten hast auch du persönlich schon an den Tag gelegt. Doch essen wir dann nicht automatisch aus dem Kühlschrank? Es muss nicht immer das Eis aus der Familienpackung sein, das wir in der Nacht löffeln. Manche Theorien besagen: Heiße Milch mit Honig hilft gegen Schlafstörungen.

Natürlich beruhigt Honig und wirkt auch desinfizierend und beruhigend. Auch die lauwarme Milch ist gut gegen die innere Unruhe, die wir nicht selten durch Schlafstörungen verspüren. Es ist, wie ein verrückter Teufelskreis: Aufgrund der inneren Unruhe können wir nicht gut schlafen und bei Schlafstörungen in der Nacht steigern wir uns in diese innere Unruhe oft hinein.

Gehörst vielleicht auch du zu den Frust-Essern, die aus seelischem Kummer heraus Süßigkeiten oder andere unsinnige Lebensmittel in sich stopfen? Ja – genau dadurch steigt auch nicht selten bei Problemen mit dem Schlafen unser Gewicht. Waren Frust und andauernde Nervenstrapazen auch für dich schon das beste Alibi um sich mit Essen zu „belohnen“?

Letztendlich bringen Schlafprobleme (nicht nur aus Ess-Attacken in der Nacht heraus) manche Essstörung oder eine Gewichts-Erhöhung mit sich. Zum Beispiel ist das „Naturmittel“ einer Tasse Milch mit heißem Honig mit ca. 250 Kalorien nicht gerade förderlich für eine gesunde Ernährung mit wenigen Kalorien.

Wenn die Organe in der Nacht nicht auf Sparflamme weiterarbeiten können,funktionieren diese oft auch während des Tages nicht gut.Wenn die Funktionsweise der Organe einfach völlig durcheinandergerät, was sich zum Beispiel auch bei Zeitverschiebungen oder dem so berühmten Jetlag bemerkbar macht, ist unser Stoffwechsel „durch den Wind!“

Genau aus diesem Grund ist es stets sinnvoll, aufgrund einer durchdachten, kalorienbewussten Ernährung auf sein Gewicht und das gesamte Wohlbefinden besonders zu achten. Wer will schon an Übergewicht leiden? Gerade wenn der Tages- und Nachtrhythmus völlig außer Kontrolle gerät, wissen wir Menschen nicht mehr, was wir zu welcher Zeit essen sollen.

Es gibt jedoch noch zahlreiche, weitere Gründe, warum Schlafstörungen dick machen können. Ich schildere dir ganz genau, warum ein gesundes, gutes Schlafverhalten auch für einen schlanken Körper sorgen wird:

- Schlanke Models achten auf guten Schlaf, weil sie wissen: Nur so bleiben sie auf Dauer schlank, weil sich der Körper und die Organe richtig erholen. Der Körper braucht nicht nur aus optischen Gründen eine ausreichende Portion an Schlaf.
- Medikamente wie Schlaftabletten oder Antidepressiva, die oft bei Schlafstörungen eingenommen werden, führen sehr häufig zur erheblichen Gewichtszunahme.
- Wenn wir übermüdet unseren Alltag meistern müssen, weil wir zu wenig oder sehr schlecht schlafen, fällt uns das dadurch empfundene träge Gefühl oftmals selbst auf die Füße. Dadurch entsteht Antriebsschwäche und mangelnde Bewegung.
- Konzentrationsstörungen sorgen dafür, dass in uns Sätze kreisen, wie: „Ich muss etwas essen, damit ich wieder mit Energie versorgt werde!“ Dabei sind die Störungen im Gehirn nicht selten mit Schlafmangel und nicht mit einem realen Hunger-Gefühl eng verbunden.
- Wer nur träge durch den Tag kommt, weil er muss, achtet zwangsläufig kaum auf eine gesunde Ernährung.
- Gesund so zu kochen, damit du wenige Kalorien zu dir nimmst, kostet Zeit. Wer an Schlafmangel leidet, will für „so etwas unwichtiges wie Essen“ keinen großen Zeitaufwand investieren.
- Gerade, wenn es schnell gehen muss, essen wir sehr häufig nicht nur sehr ungesunde Gerichte, sondern stopfen uns auch mit Zucker und Konservierungsstoffen voll. Beide künstliche Zusatzstoffe machen dick!

- Essanfälle treten vor allem in der Nacht und aus Langeweile auf. Wenn wir uns unbeobachtet fühlen, stopfen wir oft aus Frust unzählige Kalorien in uns hinein. Auch Getränke wie Säfte, Milch oder gar Alkohol stecken voller Zucker und lassen unser Gewicht schneller ansteigen, als dies bei gesunden Lebensmitteln geschieht, die wir nur tagsüber genießen sollten.

Ich bin mir sehr sicher, dass auch du dich selbst in der einen oder anderen Begründung ertappt fühlst. Stopfst auch du dich manchmal aus Langeweile heraus voll mit ungesundem Fastfood, Chips und Süßigkeiten? All diese Lebensmittel lassen die Zahl auf der Waage meist schneller ansteigen, als uns lieb ist.

Tipp:

Du leidest an Schlafstörungen? Bitte schreibe dir dann vor allem sehr genau auf, was du, zu welchem Zeitpunkt zu dir nimmst. Dabei sollten die Getränke in keinem Falle auf der Strecke bleiben, denn diese bringen nicht selten einen hohen Kaloriengehalt mit sich. Was spricht dagegen, mit meinem konkreten Umsetzungsplan im letzten Teil meines Buches zu arbeiten? Hier wirst auch du das Thema Ernährung intensiv beleuchten.

4. Wie kannst du ganz natürlich bei Zeitverschiebungen und dem ungeliebten Jetlag reagieren?

Schön, dass du mein Buch schon bis hierhin gelesen hast. Glückwunsch! Diese Tatsache zeigt mir, dass du es ernst meinst, und dass auch du gesund und mit ausreichendem Schlaf dein Leben meistern willst – und das auf Dauer!

Sicher ist auch dir jetzt mittlerweile schon bewusst geworden, dass Schlafstörungen wahres Gift für deine Gesundheit darstellen.

Dennoch geraten wir oft unbewusst in eine Schlafstörung, die stark von außen beeinflusst wird. Wie in meinem Buch bereits erwähnt, ist ein dauerhafter Schichtwechsel alles andere als förderlich für einen geruhsamen Schlaf. Gerade die Umstellung von einem natürlichen Schlaf-Wach-Rhythmus bringt unseren Stoffwechsel oft sehr durcheinander.

Doch auch du erlebst zum Beispiel die Zeitumstellung von Sommer- zur Winterzeit und umgekehrt. Hast auch du selbst schon den allseits berühmten Jetlag gespürt? Bei diesen Umstellungen sind wir oft auf eine nicht vom Körper gewollte Tages- und Nachtzeit eingestellt, die uns das Leben in Sachen gesunder Schlaf erheblich erschweren kann. Doch wie genau solltest du reagieren, wenn du dich zum Beispiel nach einem Flug von den USA nach Deutschland wieder an die Tages- und Nachtzeit im Heimatland gewöhnen sollst? Von heute auf morgen ist plötzlich alles anders!

In der Tat gibt es einige Stimmen, die sagen: „Hier helfen nur Tabletten, um sich selbst dann in den Schlaf zu treiben, wenn der Körper eigentlich wach bleiben will!"

Ich hingegen bin hier anderer Meinung. Natürlich sollten wir uns recht schnell an die „neue Zeit" gewöhnen, damit wir unseren Alltag wieder erfolgreich und mit Elan bewältigen können.

Allerdings möchte ich dir in meinem Buch zu verstehen geben, dass ich auch bei Jetlag generell auf natürliche Heilmethoden setze, die deinen Schlaf auf gesunde Art und Weise regulieren.

Solltest du gar permanent ein Schläfchen zwischendurch einlegen – während der Tageszeit, wenn dein Körper sich danach sehnt? Zu diesem Thema gibt es verschiedene Stimmen. Ganz neue Therapien befürworten zum Beispiel das Mittagsschläfchen zwischendurch, das dir zu neuer Energie verhelfen soll. Die Gefahr, dass du dann nicht nur 1-2 Stunden schläfst, sondern einen längeren Zeitraum, ist jedoch recht groß. Somit wäre es vorprogrammiert, dass du im Anschluss an den verschlafenen Tag, in der Nacht kaum ein Auge zumachen kannst. Wenn du dich dann nicht schnell wieder umstellst, ist anzunehmen, dass du ein paar Tage oder gar eine Woche mit dem Jetlag zu kämpfen hast.

Schichtarbeiter können auch ein Lied davon singen, dass ihr Arbeitsrhythmus das Leben sehr stark beeinträchtigen kann. Also doch den inneren Schweinehund überwinden und übermüdet wach bleiben, wenn es am Aufenthaltsort taghell ist? Ja – das ist grundsätzlich von Vorteil. Alles andere führt oft zu einem Leistungsabfall oder zu Konzentrationsstörungen, mit denen du einige Tage kämpfen musst.

Natürlich gibt es niemals ein Pauschalrezept, welcher Mechanismus genau gut oder schlecht ist. Doch gerade bei einer Zeitverschiebung von 8 bis 2 Stunden solltest du dich bei Tag wachhalten, damit du dich schnell an den neuen Tages-Rhythmus gewöhnen kannst. Ist das leichter gesagt als getan? Jedenfalls empfehle ich dir nicht, dich während des Tages mit Energy-Drinks, unnötigem Koffein oder anderen Aufputsch-Pillen wach zu halten. Das ist auf Dauer nicht nur schlecht für deinen Körper, sondern auch für Herz und Kreislauf eine enorme Belastung.

Ich liefere dir hier in diesem Kapitel ein paar gute Ideen, wie du deine Müdigkeit überwinden kannst. Wenn du tagsüber nicht schlafen willst, helfen folgende Strategien sehr erfolgreich:

- Tanke Sauerstoff an der frischen Luft.
- Betreibe Sport - nach deiner aktiven Zeit fühlst du dich nach 2-4 Stunden müde und kannst schließlich in der Nacht gut schlafen.

- Kleine Energie-Schübe verpasst du dir selbst bei Müdigkeit, indem du mit Menschen sprichst, dich bewegst und spazieren gehst. Auch Hausarbeit kann dabei helfen, dann wieder müde zu sein, wenn es die meisten Menschen sein sollten: in der Nacht!
- Ernähre dich besonders gesund und reich an Vitaminen und Mineralstoffen, wenn du dich an den neuen Tages-Rhythmus gewöhnen sollst. Das heißt: Iss viel Gemüse, Salate und Obst zu den am jeweiligen Ort gültigen Essenszeiten.

Wenn du diese Regeln während des Tages im Jetlag befolgst, stehen die Chance gut, dass du bei Anbruch der Dunkelheit wieder langsam müde wirst. Genau dann lohnt es sich, auch zu örtlich normaler Schlafenszeit wieder zu Bett zu gehen.

Du wirst wieder Mitten in der Nacht wach und willst Bäume ausreißen? Auch diese Verhaltensweise gehört beim Jetlag, bei der Umstellung der Zeit durch die Jahreszeiten oder bei anderen Lebensumstellungen (zum Beispiel beruflich oder privat bedingten Zeitumstellung) mit zum täglichen Alltag. Kinder oder Belastungen im Job können uns oft dann den Schlaf rauben, wenn wir ihn dringend benötigen würden. Hierbei empfehle ich dir, die in meinem Buch empfohlenen Einschlaf-Strategien anzuwenden. Dazu gehören zum Beispiel:

- Meditations- und Entspannungsübungen
- Rituale zum Einschlafen
- Ablenkung mit positiven Angelegenheiten
- kurz Sauerstoff am offenen Fenster zu tanken

Was gilt als absolutes No-Go, wenn du deine Nacht zum Tag machen willst und voller innerer Unruhe im Bett liegst? Bitte lege dein Smartphone beiseite und umgib dich am besten nicht mit aufregenden Dingen, die mit dem Internet zu tun haben. Das pusht dich eher in der Nacht, als dass es für ein beruhigendes Gefühl bei Dunkelheit sorgt. Wer hingegen per Laptop eine beruhigende Entspannungsmusik hört und dabei keinen künstlichen Lichteinfluss beansprucht, kann sich selbst 1-2 Gänge zurückschrauben. Somit stehen die Chancen gut, dass auch du wieder schnell zur Ruhe findest und dann schlafen kannst, wenn es alle Menschen tun: bei Nacht!

Grundsätzlich solltest du also immer so natürlich wie möglich dein Schlafverhalten beeinflussen. Letztendlich kannst nur du selbst, im Bewusstsein, was gut oder weniger gut für dich ist, dein Schlafverhalten für dich selbst positiv regulieren. Wetten, mit der genau richtigen Einstellung zum Thema gesunder Schlaf findest du dabei für dich die richtige Strategie?

5. So können Schichtarbeiter ihren Alltag meistern

Schichtarbeiter können ein Lied davon singen: Vor allem der permanente Wechsel der Arbeitszeit in einem Job, in welchem du topfit agieren musst, kann dir dein Leben zu Hölle machen. Doch schließlich kannst du dir folgendes zu Herzen nehmen, wenn du deinen beruflichen Alltag in Form von Schichtarbeit erledigen musst:

- Versuche möglichst wenige Schichtwechsel auf Dauer in Kauf zu nehmen.
- Findet ein Schichtwechsel in einem Rhythmus von 2, 4 oder 6 Wochen statt, ist dies besser, als wenn du jede Woche deine Arbeitszeiten verändern musst.
- Je älter du bist, desto schwerer fällt oftmals der permanent stattfindende Schichtwechsel.

- Schichtwechsel, die nicht mit einigen hintereinander liegenden Tagen Freizeit verbunden sind, solltest du nach Möglichkeit vermeiden.
- Bitte achte darauf, dich bei Wechsel der Arbeitszeit mit besonders vitaminreicher, gesunder Kost sinnvoll zu ernähren.
- Schlaftabletten oder Aufputschmittel sind nicht der richtige Weg für eine solide, gesunde Schichtarbeit.

Natürlich ist es besser, über einen längeren Zeitraum hinweg in der Nacht zu arbeiten. Warum? So kann sich dein Körper an diese abnormale Arbeitszeit besser gewöhnen, als wenn du in jeder Woche eine neue Umstellung in Kauf nehmen musst. Genau deshalb solltest du dir genau überlegen, welche Art von Arbeitsplatz du auf Dauer für dich auswählst.

Wenn du jedoch in Form von bestimmten Zeitschichten arbeitest, achte bitte darauf, dass du dir selbst dabei nicht zusätzlich dein Leben erschwerst. Schlafe natürlich dann, wenn du es mit deinem Alltag gut verbinden kannst. Dabei musst du vielleicht auch manchmal die Nacht zum Tag gestalten und umgekehrt. Genau deshalb kannst du dir folgende Lebensgewohnheiten angewöhnen:

- Schlafe tagsüber mit Schlafmaske und in einem abgedunkelten Raum.
- Bitte sorge für ausreichende Ruhe in deinem Schlafzimmer. Ohropax und schalldichte Vorhänge können dabei kleine Wunder bewirken.
- Es ist Gold wert, wenn du dich während der Nacht mit gesundem Kräutertee anstatt mit Litern von starkem Kaffee wachhältst. Hierbei wirken Pfefferminz- oder Ingwertee sehr belebend.

- Bitte achte bei deinen Ruhezeiten darauf, dass du deine Familie mit einweihst. Außerdem sollten deine Türklingel und dein Telefon in dieser Zeit abgeschaltet werden.
- Eine kalte Dusche vor dem Arbeitsalltag in der Schicht sorgt für einen gut funktionierenden Stoffwechsel.
- Es ist mehr als förderlich, seinem Tag gerade in der Freizeit bei Schichtarbeit einen Sinn zu geben. Wenn du auch tagsüber schlafen solltest, um Kräfte für die Nachtschicht zu tanken, sollten dennoch 1-2 Stunden Sport und Bewegung an der frischen Luft ihren berechtigten Platz einnehmen.
- Bitte achte darauf, dass du bei der Schichtarbeit konzentriert arbeiten kannst. Gerade bei einer Nachtschicht ist die Tages-Ruhe und das Abschotten bei Dunkelheit hierbei von Vorteil. So stört dich zum Beispiel kein permanent klingelndes Telefon während der Erholungszeit.
- Kannst auch du deiner Schichtarbeit positive Aspekte abgewinnen? Du kannst Freizeit genießen, wenn andere arbeiten. Sieh die Vorteile deiner Tätigkeit! Lamentieren und jammern war noch nie ein guter Ratgeber für deine Gesundheit.
- Bitte achte stets auf deine Gesundheit. Sollte dir dabei die Schichtarbeit auf Dauer mehr Schaden als Nutzen zufügen, versuche an deinem Arbeitszeit-Modell gravierende Veränderungen vorzunehmen.

Letztendlich kannst bei diesem Punkten nur du selbst entscheiden, inwiefern du die Schichtarbeit für dich auf Dauer akzeptieren willst. Letztendlich zählt immer: Die Gesundheit ist das wichtigste Gut, das wir haben. Dieses gilt es zu ehren, zu schützen und zu pflegen. Guter Schlaf ist die beste Grundlage für ein dauerhaft gesundes Leben. Bitte überprüfe hierbei ganz für dich alleine, ob die Schichtarbeit ein akzeptables Arbeitszeit-Modell für deine Persönlichkeit darstellt.

E) Stress ist die Hauptursache von Schlafproblemen – wie kannst du ihn dauerhaft im Zaum halten?

1.Lerne, dich abzugrenzen und nimm Hilfe an

Keine Frage – die psychosomatischen Krankheiten nehmen in unserer schnelllebigen Gesellschaft deutlich zu. Eine Mutter, die neben dem Job den gesamten Familienalltag zu bewältigen hat, ist nicht selten einer gewaltigen Doppelbelastung ausgesetzt. Genau deshalb nehmen Frauen im Laufe ihres Lebens im Familienalltag meist an Gewicht zu. Von einer Mutter und Hausfrau, die im Job ihre Frau steht, wird sehr viel abverlangt: Sie muss das Essen pünktlich auf den Tisch stellen, sich täglich die Schularbeiten der Kinder ansehen und will noch dazu im Job nicht als Hausmütterchen und Mauerblümchen dastehen.

Dabei ist der Spagat zwischen Alltag, Job, Familie und einem guten Selbstwertgefühl sehr schwer zu schaffen. So ist es keine Überraschung, dass gerade Frauen im mittleren Alter noch vor der hormonellen Umstellung durch die Wechseljahre im Burnout landen. Schnell wird alles zu viel – es lasten zu viele Aufgaben im Alltag auf den zarten Schultern der Frauen von heute.

Es beginnt mit Gewichtszunahme, geht weiter mit Sorgen um die Familie und daraus resultierenden Schlafbeschwerden und endet letztendlich im Burnout. Muss das sein? Schlafstörungen gehören in jedem Fall zum stressbedingten Leiden Nummer eins. Wenn wir nicht ausgeruht unsere Nachtruhe pflegen, kommen weiter Probleme wie Herz- und Kreislaufstörungen, dauerhafte Gereiztheit oder massives Übergewicht hinzu.

Deshalb gilt es, so früh wie möglich dagegen anzukämpfen. Wie solltest du dich bereits bei ersten Anzeichen von Schlafproblemen verhalten? In meinem folgenden Maßnahmenplan kannst du selbst den Schlafstörungen entgegentreten. Zunächst jedoch geht es darum, dass du dem Stress in deinem Leben rechtzeitig entfliehen kannst. Wenn sich das Gedankenkarussell in dir gerade am Abend und in der Nacht dreht und du deine Sorgen nicht mehr loswirst, solltest du dir eine genaue Strategie überlegen, wie du einige Last in deinem Leben loswerden kannst.

Hierbei empfehle ich dir folgende Möglichkeiten, die sicherlich auch für deinen Alltag eine Entlastung darstellen werden:

1. Nimm nicht alle Sorgen der anderen an. Bitte lerne, Nein zu sagen und mach die Probleme deiner Liebsten nicht zu deinen eigenen.
2. Es gibt Hilfe von Lehrern, Nachhilfe-Dienstleistern oder anderen Pädagogen, die dir einige Aufgaben rund um deine Kinder abnehmen können.
3. Bitte beziehe auch deinen Mann voll und ganz in den Familien-Alltag mit ein. Er ist ebenso wie du gefordert, dass das Modell „Familie“ möglichst reibungslos funktioniert.
4. Beweise dich im Job und lass dich nicht kleinkriegen! Hier geht es um dich und um dein Selbstwertgefühl. Lerne, dich coachen zu lassen und vor allem eines: dich gut zu positionieren und für deine Karriere zu kämpfen!
5. Versuche, eine Entspannungsmethode und ein Hobby nur für dich alleine zu pflegen. Das kann ein Abend in der Woche für dich und deine Yoga-Gruppe oder der regelmäßige Besuch im Fitness-Studio sein. Wichtig ist: Sei es dir selbst wert, für dich und deine Seele einen aktiven Beitrag zu leisten. Deine Familie sollte dich dabei unterstützen.

6. Nein zu sagen bei Freunden und im Job, kann ungeheuer befreiend wirken. Lerne, nicht jede Last des Lebens auf deinen Schultern zu tragen.
7. Wenn du dich permanent mit Schuldgefühlen selbst quälst, kommst du nicht weiter. Wie solltest du hier vorgehen? Schreibe dir bitte sofort 10 Dinge auf, die dir in deinem Leben gut gelingen.
8. Bitte sage deinen Liebsten ruhig und sachlich, wie sie dich im Alltag unterstützen können. Das ist besser, als eines Tages völlig wutentbrannt und genervt zu explodieren und alle Familien-Mitglieder vor den Kopf zu stoßen.
9. Wenn du sorgenvolle Gedanken in dir trägst, reagiere nicht in Sachen Essen mit Frust. Was ist besser? Bitte reagiere, indem du gesunde Tees und viel Wasser trinkst. Das kurbelt deinen Stoffwechsel auf natürliche Art und Weise an.
10. Befreie dich selbst, indem du dich mit deinen Nöten, Sorgen und Problemen einem Profi öffnest. Dies kann bedeuten, spezielle Hilfe durch Coaching, durch eine Selbsthilfegruppe oder eine Hilfestellung durch eine ambulante Psychotherapie in Anspruch zu nehmen.

Mit diesen 10 einfachen Beispielen zeigst du: Du bist dir und deiner Gesundheit jede Menge wert. Das bedeutet, dass du dich schützt, achtest und behutsam mit dir und deiner Seele umgehen willst. Wenn dich deine Liebsten schätzen, was sie sicherlich tun, werden Sie dich dabei unterstützen, wieder zur inneren Ausgeglichenheit zurückzufinden. So kannst du nicht nur Schlafstörungen entgegentreten, sondern dich selbst auch vor dauerhaften psychischen Störungen wie Burnout schützen.

Mit diesem Verhalten zeigst du Achtsamkeit gegenüber dir selbst. Achtsamkeit und Entschleunigen sind für mich wahre Zauberworte in der heutigen Zeit, die dich vor Schlafstörungen schützen. Bitte sei es dir selbst wert, egal in welcher Familiensituation du dich auch befindest, für deine Gesundheit zu kämpfen und dir helfen zu lassen. Nur so kannst du chronischen Schlafproblemen auf Dauer entgegentreten.

2.Pflege Rituale vor dem Einschlafen

Wie heißt es so schön? Der Mensch ist ein Gewohnheitstier. Deshalb kommen wir am besten am Abend mit dem Einschlafen klar und können die Nacht erholsam durchschlafen, wenn wir immer nach dem gleichen Rhythmus am Abend die Bettruhe einleiten. Was heißt das genau?

Du solltest zum Beispiel immer ungefähr um die gleiche Zeit zu Bett gehen. Meist hilft es schon, die innere Uhr auf ca. 23 Uhr einzustellen. Nicht immer, aber sehr oft, haben wir die Zeit, die wir für das Schlafengehen auswählen, selbst in der Hand. So stellt sich dein Körper automatisch darauf ein, dass jetzt die Nachtruhe beginnt.

Außerdem habe ich dir in meinem Buch einiges aus der Heilmedizin in Sachen Kräuterkunde vorgestellt. Mit diesen einzelnen Kräutern, die du ca. 2 Stunden vor dem Zubettgehen in Form eines Tees (als Beispiel) zu dir nimmst, leitest du den Ruhe-Modus in Körper und Geist ein. Wenn du also an jedem Abend mit einer Tasse Johanniskraut-Tee um ca. 21 Uhr deine eigene, innere Uhr auf den Schlafprozess einstimmst, gewöhnt sich dein Körper irgendwann daran, dass jetzt bald Schlafenszeit ist.

Ein Ritual am Abend können auch folgende, gesunde Anleitungen für dich darstellen:

- Pflege deinen Körper vor dem Schlafengehen mit einer besonders reichhaltigen Lotion oder Handcreme.

- Bringe deine Kinder liebevoll zu Bett und lies ihnen eine schöne Geschichte vor.
- Bereichere dich selbst am Abend mit einem meditativen Text deiner Wahl.
- Lies vor dem Schlafengehen eine entspannende Geschichte.
- Zünde dir eine Kerze an und meditiere in dem warmen Licht.
- Eine regelmäßige Yoga-Übung, Qigong oder andere Entspannungsübungen bieten sich ca. 1-3 Stunden bevor du dich schlafen legst, an.
- Ein Sauna-Gang in der Heim-Sauna an einem kalten Winterabend kann wahre Wunder wirken. Die kalte Dusche nach der Sauna sorgt für kurze Abkühlung. Meist sind die Menschen nach dem Sauna-Gang im Ruhe-Modus und möchten schlafen.
- Ein paar ruhige und tiefe Atemzüge an der frischen Luft wirken Wunder vor dem Zubettgehen.

An diesen, wenigen Beispielen siehst du: Es ist sinnvoll, jeden Abend das Gleiche zu verrichten, damit dein Körper durch die Signale weiß: Jetzt ist bald Schlafenszeit.

So wie uns im Sommer die Vögel früh am Morgen wecken, so kannst auch du dich mit Ritualen auf die Ruhe-Zeit am Abend einstimmen. Dadurch signalisieren dir auch deine Hormone auf gesunde Art und Weise, dass du dich jetzt ausruhen solltest.

Welche Rituale sind hingegen vor dem Zubettgehen zu vermeiden, wenn du gesund leben willst?

- Bitte gewöhne dir am Abend die auf dem Balkon gerauchte Zigarette ab.

- Obwohl Bier oder das Glas Wein am Abend müde stimmt, empfehle ich generell, vom Konsum von Alkohol Abstand zu nehmen. Alkohol gefährdet Herz und Kreislauf und kann zu schwerwiegenden Organschäden führen.
- Wenn dich am Abend der Krimi im TV aufregt, ist die Berieselung vom Fernseher oder Kino kein guter Ratgeber, um den Ruhe-Modus einzuleiten.
- Lege das Smartphone beiseite! Bitte umgib dich, wie bereits erwähnt, im Schlafzimmer nicht mit Technik.
- Helles Licht am Abend ist zu vermeiden.
- Nicht immer schaffen wir es, am Abend ohne Party oder Kneipe auszukommen. Das Leben soll schließlich auch Lebensfreude bedeuten, oder? Bitte versuche dennoch, wenn du spät nach Hause kommst, im Bad entspannende Rituale (lauwarme Dusche, schöne, gut riechende Körper-Creme mit Lavendelduft) einzuleiten. Finde bei einer Tasse Tee den Ruhe-Modus sehr bewusst und stimme dich auf die Nacht ein.

Natürlich muss jeder von uns die richtige Bandbreite finden, um die für ihn entspannenden Rituale für den Abend zu finden, die sein Wohlbefinden optimieren. Die Kunst ist es, Spaß am Leben zu finden und dennoch sehr auf sich, auf seine innere Stimme und auf die Gesundheit zu achten.

Du siehst: mit gutem Schlaf schaffst du hierfür die genau richtige Grundlage! Vieles, nicht alles, hast du dafür selbst in deiner Hand. Jetzt schon wünsche ich dir: Gutes Gelingen mit den richtigen Lebensmethoden, die deinen erholsamen Schlaf fördern!

3. Was ist, wenn die Gedanken vor und während der Nacht dennoch in dir kreisen?

Manchmal liegt das Kind schon im Brunnen und du bist in dem Teufelskreis der negativen Gedanken bereits gefangen. Erntest du vielleicht sogar gerade kein Verständnis von deiner Familie oder willst du diese nicht zu sehr mit deinen eigenen Sorgen belasten? Nicht selten treffen Schicksalsschläge alle Familienmitglieder – genau deshalb kann die ganze Familie über einen gewissen Zeitraum hinweg von Schlafstörungen betroffen sein.

Letztendlich zählt immer eines im Leben: Helfen muss sich jeder selbst – für sich ganz alleine! Deshalb lernst du in diesem, in meinen Augen sehr wichtigen Kapitel, wie du die kreisenden Gedanken in deinem Kopf loswerden kannst. Du selbst hast es in der Hand, dich vor dem Einschlafen von negativen Gedanken loszusagen oder dich in diese hineinzusteigern.

Alles, was deiner Gesundheit massiven Schaden zufügt, solltest du hierbei so gut wie möglich aus deinem Kopf streichen. Doch – ist dies nicht leichter gesagt als getan, wenn du die Abwärtsspirale und den Kreislauf der negativen Welt aus deinem Leben streichen sollst? Gerade die grüblerischen Gedanken kommen immer wieder – bitte löse dich von diesen, so gut es dir möglich ist!

Wenn also Meditation, Entspannungstrainings, gute Ernährung und schöne Gespräche immer noch nicht dabei helfen, vor dem Einschlafen die Ängste, Sorgen und Nöte loszuwerden, empfehle ich dir folgende Strategien. All diese Möglichkeiten kannst du übrigens bei Einschlaf- oder Durchschlaf-Problemen gleichermaßen anwenden. Das heißt: Auch wenn du mitten in der Nacht aufwachst oder dich Alpträume quälen, solltest du neue Energie mit einer der folgenden Übungen tanken:

Lüfte das Schlafzimmer gut durch und nimm ein paar Atemzüge an der frischen Luft

Mit jedem Atemzug darfst du dir jetzt denken: „Ich atme neue Energie ein und mit jedem Ausatmen lasse ich Negatives in meinem Leben aus meinem Körper." So tankst du vor dem Zubettgehen neue Energie. Atemzüge an der frischen Luft, die du sehr bewusst sehr tief in dich aufnimmst, können dir sofort neuen Sauerstoff und neue Energie schenken. Bitte achte stets darauf, dass du nicht die Abgase der Straße dabei in deine Lunge einatmest, sondern möglichst die frische Luft der schöpferischen Natur.

Tipp:

Die frische Luft ist im Sommer und im Winter ein Genuss. Wenn du dabei am Fenster stehst und dich nicht erkältest, wirst du deinem Körper einen großen Gefallen erweisen. Nachdem du frischen Sauerstoff getankt hast, kannst du dir denken: „Jetzt habe ich neue Energie, die meinem Körper und meinem Geist richtig guttun!"

Verlasse bei massiven Schlafstörungen das Schlafzimmer

Kennst du es, dich in der Nacht von links nach rechts zu wälzen? Mit dieser Strategie wirst du deine Schlafprobleme niemals los. Ein Ortswechsel kann hierbei schon wahre Wunder bewirken. Bitte verlasse, wenn dich in der Nacht Alpträume oder Schlafstörungen quälen, unbedingt für eine gewisse Zeitspanne das Bett. Lasse damit die Sorgen los, wenn du den Ort deines Bettes verlässt. Oft hilft es schon, sich mit 10 Minuten fernsehen abzulenken. Bitte wähle hierbei leichte Serien, die dir vor allem eines verschaffen: neue Gedanken.

Schließlich willst du aus der Abwärts-Spirale deiner Gedanken entfliehen und dieser Negativität nicht weiter verfallen, oder? Genau deshalb verlasse das Bett, laufe ein paar Schritte in der Wohnung umher oder gehe ein paar Meter zum Balkon, auf dem du neue Energie in Form von Sauerstoff tanken darfst.

Auch das Lesen in einem leichten Buch kann dir Ablenkung bringen. Dennoch ist ein Ortswechsel in der Nacht sinnvoll, damit du dich nach 15-30 Minuten Ortswechsel erneut in dein Bett kuscheln darfst. So kannst du es nochmals ganz neu angehen: den Schlafprozess für dich positiv zu starten.

Tipp:

Mir hat es schon bei Alpträumen und massiven Schlafstörungen erheblich geholfen, mir all den Kummer mitten in der Nacht unter der Dusche abzuwaschen. Nach der Dusche war ich auch innerlich gereinigt und konnte wieder leichter einschlafen. Es geht letztendlich um eines: den Ballast des Alltags loszuwerden!

Wer schreibt, der bleibt!

Bist auch du ein Mensch, der sich immer einmal wieder den Kummer von der Seele schreibt? Für mich ist das eine sehr erfolgreiche Strategie, sich den Ärger im Alltag von der Seele zu schreiben. Wenn ich mir alle Ängste, Sorgen, Nöte und alle Probleme, die mich aktuell beschäftigen, von der Seele schreibe, befreit dies ungemein. Es hilft mir, dann den Zettel zu zerknüllen oder gar zu verbrennen und weit, weit aus meinem Alltag zu verbannen. Manchmal kannst du deinen großen „Kummer-Zettel" auch selbst entsorgen, indem du diesen durchs WC in die Kanalisation spülst.

Warum ist dieses plakative Verhalten wichtig, wenn es um eine Therapie gegen Schlafstörungen geht? Ganz einfach – so kannst du dir die Sorgen deines Alltages weit, weit wegzaubern. Bilder sprechen für Worte – Worte sprechen für Gedanken, die in deinem Kopf verfestigt werden. Wetten, durch diese sinnvolle Strategie, die übrigens auch Psychologen empfehlen, kannst du die Sorgen und Ängste aus deinem Alltag verbannen? Gib dem Zettel den Ballast dieser Probleme und – entsorge das Schriftstück!

Wenn du dann den Problem-Zettel entsorgt hast, kannst du dich wieder ins Bett legen und sicherlich gut einschlafen.

Koche dir eine Tasse Beruhigungstee

Auch mitten in der Nacht kann er nicht schaden – der feine Kräutertee, der einfach beruhigend wirkt. Während du natürlich all meine empfohlenen Kräutermischungen selbst in der Natur sammeln kannst, gibt es auch fertig gemischten Beruhigungstee zu kaufen. Du darfst also selbst entscheiden, welche Art von Tee am besten zu dir passt.

Nachdem du in der Nacht den Tee getrunken hast, solltest du jedoch bald wieder in dem Wissen zu Bett gehen und wissen – jetzt sind die Gemüter endlich beruhigt! Natürlich ist Dunkelheit und gute Luft im Schlafzimmer, wie bereits mehrfach erwähnt, hierfür eine gute Grundlage, die du nie vergessen solltest, wenn du jetzt wieder zum erholsamen Schlaf gelangen willst.

Beschäftige dich mit schönen Dingen

Egal, warum du nicht schlafen kannst und von deinen Gedanken nicht loslässt, die deinen Schlaf einfach nicht zulassen: Irgendwie solltest du dich jetzt mit schönen Dingen beschäftigen. Bitte lies dazu ein schönes Buch, einen Gedichtband oder einen Brief, der dich schon vor vielen Jahren erfreut hat. Wer in den „Depri-Blues" verfällt und sich in negative Gedanken hineinsteigert, anstatt diese loszulassen, hat schon verloren. Gerade die schönen Dinge, eine Geschichte aus einem Kinderbuch, eine positive Liste über dich und deine Persönlichkeit oder ein Erfolgstagebuch können deine Psyche jetzt stärken. Zu diesen Themen – später nähere Informationen. Schon neugierig darauf, wie du dich auch in Sachen Selbstwert vorantreiben kannst?

Sperre negative Gedanken jetzt ein!

Wie bitte? Du sollst Gedanken einsperren? Ja – diese Übung findet ähnlich wie die Sequenz mit dem entsorgten Problem-Zettel statt. Du kannst deine Sorgen, Ängste und Probleme auch einfach aus dem Zimmer oder aus dem Fenster werfen! Führe dazu die richtige Handbewegung durch. Das ist alles andere als albern – Gesten und klare Signale in deinem Körper, dass die Gedanken jetzt von dir weggesperrt sind, bewirken wahre Wunder! Öffne das Fenster und wirf die negativen Gedanken weit hinaus, bevor du das Fenster wieder schließt!

Du darfst dabei deine Gedanken auch in einen Schrank sperren oder in den Abstellraum werfen, den du danach abschließt. Nimm dein Gedanken-Paket der Sorgen und Probleme in einen großen Karton und tage diesen in den Keller. Nach dieser Übung, an deren Erfolg du ruhig glauben darfst, kannst du im Bett wieder neu für dich beginnen. Jetzt sind die Gedanken der Negativität weg von dir! Du leitest jetzt den Ruhe-Modus wie gewohnt ein. Gute Nacht!

Das unaufhaltsame Gedankenkarussell, das sich immer weiter und weiter dreht – es lässt uns aufgedreht im Bett liegen, obwohl wir innerlich wissen: Wir sollten schlafen. Tröste dich – jeder von uns hat im Laufe seines Lebens die eine oder andere Phase, in der die Gedanken stark kreisen und du somit kaum zur Ruhe findest. Wichtig ist, dass du lernst, dir dabei selbst zu helfen.

Diese Übungen sind alle wissenschaftlich belegt und mehrfach durchgeführt. Natürlich solltest du selbst an deren Erfolg glauben. Wie heißt es so schön? Glaube versetzt Berge! Nur wenn du weißt, dass du innerlich dadurch wieder zur Ruhe findest, hast du gute Chancen, deine wohlverdiente Nachtruhe bald zu genießen.

Tipp:

Probiere am besten sofort die Idee aus, die dir am besten gefällt. Natürlich sind auch mehrere Methoden, parallel durchgeführt, für dich erlaubt. Wichtig ist, dass du voll und ganz mit deinem Herzen hinter diesen Übungen stehst. Es ist, wie mit den Ritualen – ich will mit meinem Buch keine Menschen verbiegen. Vielmehr möchte ich, dass du so deine Schlafprobleme beseitigst, wie es zu dir und zu deiner Persönlichkeit passt!

Mit meinen Ideen liefere ich dir einen Blumenstrauß voller guter Ansätze – welche schöne Blume du dabei für dich selbst entdeckst, bleibt nur dir überlassen!

4. Die Kinder wecken dich – wie kannst du sie und dich selbst wieder beruhigen?

Natürlich liegen Schlafprobleme nicht immer an uns selbst. Vielmehr sind unsere Kinder meist sensible, zarte Lebewesen, die sich auch in der Nacht nicht wie Maschinen verhalten.

Auch unsere Liebsten quälen Alpträume, Nöte, Sorgen und Ängste. Genau du als Mutter bist deshalb gefordert, die Kinder zu beruhigen, zu besänftigen und ihre Denkweise „wieder in die richtige Richtung“ zu rücken.

Als liebevolle, sorgende Mutter schaffst du dies ganz sicher. Doch wie genau kannst du hierbei vorgehen? Obwohl es in diesem Buch um deine eigenen Schlafstörungen geht, helfen ganz ähnliche Rituale auch für deine Kinder. Vor allem brauchen die Kinder jetzt eines: Liebe, Fürsorge und Achtung der Mutter! Nimm die Kleinen in den Arm, lies ihnen eine beruhigende Geschichte vor und sorge schnell wieder dafür, dass die Schlafumgebung mit guter Luft, vernünftiger Abdunkelung und vielleicht einer beruhigenden Musik wiederhergestellt ist.

Meist sind es nur kurze Momente, die die Kinder vom Schlafen abhalten. Nach einem kleinen, gut initiierten Ablenkungs-Manöver vergessen Kinder oft schneller ihre Ängste als wir denken.

Jetzt gilt es, dass auch du wieder zum Schlaf findest, den deine Seele und auch dein Organismus so sehr braucht. Leg dich, nachdem du die Kinder besänftigt hast, schnell wieder ins Bett und versuche selbst für dich die notwendige Portion Schlaf zu tanken, die so unsagbar wichtig ist.

F) Selbstwert und gesundes Schlafverhalten steigern – das A und O für ein gesundes Leben

1. Bitte finde viele positive Aspekte in deinem Leben – welche Methoden zählen?

Gerade bei uns Frauen dreht sich das Gedankenkarussell oft unaufhaltsam. Wir fühlen uns überlastet, gestresst und quälen uns „schon irgendwie durch den Alltag“! Doch – geht es uns auch so richtig gut dabei?

Hier gilt es, für gute Lebensbedingungen deiner Psyche zu sorgen. Quälen auch dich ab und an massive Schuldgefühle? Meist fühlen sich genau die Menschen schuldig, die es nicht nötig hätten. Die Menschen, die wie Narzissten und Egoisten andere Seelen niedertrampeln, kennen hingegen das Wort Schuld oder schlechtes Gewissen nicht.

Ist bei dir genau das Gegenteil der Fall? Dann arbeite bitte dringend an deinem Selbstwert. Wenn du gebückt durchs Leben gehst und dadurch seelisch kaum zur Ruhe findest, kreisen vor allem vor dem Schlafengehen deine Gedanken. Ich als Autorin will dir jetzt mit diesen einfachen Methoden dabei helfen, dein Selbstbewusstsein zu stärken!

Es gilt die These: Bau nicht auf andere, die dir ein Lob zusprechen, verlasse dich allenfalls auf dich selbst. Mit diesen einfachen Methoden stärkst auch du dein seelisches Gleichgewicht:

- Führe ein Erfolgstagebuch: Hier solltest du mindestens 2-4-mal pro Woche die Dinge notieren, die du gut in deinem Alltag geschafft hast. Dabei können Erfolge im Job, schöne Gespräche mit den Kindern oder ein aktiver Sport stehen, den du besonders effizient durchgeführt hast. Was ist der Sinn dieses Erfolgstagebuchs? In Momenten, in denen es dir schlecht geht, nimmst du das Buch zu Hand und liest dir all die positiven Aspekte, die nur du geschafft hast, immer wieder durch.
- Sage Nein! Lass dir helfen – und laste dir nicht jede schwere Aufgabe selbst auf. Es zeugt von Selbstsicherheit, Hilfe anzunehmen. Sei danach stolz auf dich, dass du die Entlastung eingefordert hast.
- Blicke in den Spiegel und lächle! Mit einem Lächeln bist du viel schöner – das beflügelt auch deine Seele.
- Schreibe dir bewusst 10 sehr gute Eigenschaften von dir selbst auf. Diesen Zettel kannst du immer mit dir tragen (in der Geldbörse?).
- Bitte lies die guten Eigenschaften an dir immer dann durch, wenn dich in der Nacht Schuldgefühle plagen oder du nicht einschlafen kannst.
- Gehe achtsam mit dir um und sei im Anschluss stolz darauf. Was bedeutet Achtsamkeit? Nimm dich ernst, sei dir etwas wert und verwöhne dich zum Beispiel mit beruhigenden Kräuter-Düften oder wertvollen Tees. Das zeigt, dass du dich ernst nimmst.
- Lerne, dich immer wieder selbst neu zu betrachten, wenn du dich schlecht fühlst. Was ist schön an dir, wie strahlen deine Augen? Bitte sieh an dir auch die optisch schönen Dinge und lamentiere nicht über das, was dir nicht gefällt. Was genau ist wunderschön an dir?

- Du leidest an Übergewicht oder anderen negativen Eigenschaften, die du loswerden willst? Los geht's damit: Glaube an dich und deine Kraft, Dinge an dir zu ändern, die deine Vitalität steigern werden.
- Du bist stark! Wetten, du fühlst dich gut dabei, wenn du deinen „inneren Schweinehund" immer öfter im Leben überwindest und zum Beispiel Sport betreibst?
- Bitte gehe gerade dann, wenn es um deinen Selbstwert geht, nicht zu hart mit dir ins Gericht. Verzeihe dir kleine Ausrutscher – wir alle sind Menschen. Das macht uns schließlich aus, oder?

Du siehst an diesen Methoden, dass auch du selbst für dein seelisches Gleichgewicht sorgen kannst. Bitte tyrannisiere dich nicht selbst mit negativen Gedanken, die dich vom erholsamen Schlaf abhalten. Ein gesunder Selbstwert ist die Basis für ein gesundes, glückliches Leben.

Genau aus diesem Grunde lege ich in dem Buch explizit darauf wert, dass du an deinem Selbstwert arbeitest. Nur so kannst du die Basis für ein für dich lebenswertes und sehr gesundes Leben finden.

2. Warum Sport so wichtig für eine gesunde Lebensform ist

Immer wieder geht es in Sachen Schlaf auch generell um eine gesunde Lebensform. Sport gehört unbedingt mit dazu, wenn du auf Dauer in natürliche Schlaf- und Wachphasen gelangen willst.

Warum ist Sport auch elementar für dich, wenn du dich selbst am besten „in den Schlaf

trainieren" willst? Soviel vorneweg: Sport am Abend kurz vor dem Zubettgehen ist keine gute Idee.

Warum? Ganz einfach – Sport pusht deinen Geist und deinen Körper. Vor dem Zubettgehen ist dies also keinesfalls ein guter Ratgeber – hier sollst du dich in den Ruhe-Modus einstimmen.

Warum ist jedoch Sport und das Training, das dir besondere Freude bereitet, ein Gewinn für deine Gesundheit?

Ganz einfach: Durch Sport kannst du nicht nur deinen Körper auspowern, deine Wut oder deine Aggressionen loswerden und Kalorien verbrennen, Sport ist auch für die Seele wichtig. Wer regelmäßig Sport treibt, stärkt sein Immunsystem, seine Herz-Kreislauf-Funktionen und versorgt seinen Körper mit genügend Sauerstoff. Fühlst du dich nicht schon zufrieden und glücklich, wenn du einen langen Spaziergang an der frischen Luft unternommen hast? Alleine an dieser Tatsache erkennst du: Sport verursacht ein gutes Gefühl in dir! Wenn du am Abend für dich und deinen Körper das richtige Training angewandt hast, kannst du auf Dauer viel besser schlafen. Wenn dein Herz vernünftig arbeitet und die Durchblutung angekurbelt wird, bist du am Abend müde und deine Organe möchten sich erholen. Deshalb steht unumstritten fest: Wer regelmäßig Sport betreibt, kann dauerhaft auch Energie in einer geruhsamen Nacht tanken. Sport fördert den gesunden Schlaf!

Ein Tipp noch, der in meinen Augen für alle Mütter mit Familien Gold wert ist:

Betreibe Sport an der frischen Luft. Nimm deine Kinder dazu mit – sie können sich hierbei ebenso bewegen und auspowern wie du selbst. Dadurch ist für erholsamen Schlaf in der gesamten Familie bestens gesorgt. Warum ist frischer Sauerstoff, idealerweise im Wald und in der freien Natur, so wichtig? Du stärkst damit nicht nur dein Immunsystem, sondern kurbelst deinen Stoffwechsel auf natürliche Art und Weise an. Wer regelmäßig frische Energie tankt, fühlt sich am Abend zufrieden, müde und sorgt so automatisch für einen erholsamen Schlaf. Bitte fordere dich körperlich – das ist auch für dein seelisches Wohlbefinden ein großer Gewinn.

Was spricht dagegen, sich regelmäßig an der frischen Luft zu bewegen? Ich bin mir sicher – es gibt kein falsches Wetter, sondern nur die unpassende Kleidung!

3. Gute Ernährung – welche Lebensweisheit kann dein gesundes Schlafverhalten fördern?

Gesunde Ernährung ist, wie guter Selbstwert, ausreichender Sport und seelisches Gleichgewicht, unverzichtbar für einen gesunden Schlaf. Warum? Nur, wenn du nicht träge bist, kein Übergewicht mit dir herumschleppst und dich so ernährst, dass du in der Nacht gut schlafen kannst, sind die Voraussetzungen gut, dass du deinen Alltag erfolgreich meisterst.

Doch – was genau ist gesunde Ernährung? Sind es die drei Obst- und Gemüsemahlzeiten am Tag oder die Tatsache, dass du ab jetzt rein vegan lebst? Über kaum ein Thema wird so viel diskutiert und philosophiert wie über gesunde Ernährung. Es gibt die Mono-Diät, mit der du dich nur in Form von Kohlsuppen oder Ananas ernährst. Fraglich, ob dies genau das Richtige für dein Schlafverhalten ist, oder?

Zu diesem Thema kann ich dir schlecht einen konkreten Ratschlag geben. Jeder sollte nach Möglichkeit auch mit Genuss und in Gemeinschaft der Familie essen.

Ob du also fleischlos oder im Sinne von Low-Carb isst, sei dir ganz alleine selbst überlassen. Allerdings neigen wir bei Schlafstörungen zur absoluten Fehlernährung. In diesem Kapitel werde ich dir jedoch nicht sagen, was du nicht essen solltest, sondern dir eine Auswahl meines persönlichen Vital-Foods liefern. Seit ich diese Ernährungsweise an den Tag lege, kann ich jedenfalls gut ein- und besser durchschlafen.

Dazu gehört es unbedingt mit dazu, nicht zu spät am Abend zu essen. Als Faustregel darfst du beachten: Ca. 4 Stunden vor dem Zubettgehen sollte dein Magen nicht mehr mit Speisen belastet werden, die noch dazu große Arbeit für deine Verdauungsorgane bedeuten.

Hier meine Lebensform für eine gesunde Ernährung, die auch einen erholsamen Schlaf begünstigt:

- Genieße mindestens 4-5 Portionen Obst und Gemüse am Tag. Hier kannst du der Vielseitigkeit des gesunden Essens freien Lauf lassen.
- Fettarmes Fleisch, magerer Käse und fein gedünsteter Fisch gehören auf den Speiseplan, wenn du wertvolle Fettsäuren zu dir nehmen willst.
- Vollkornbrot statt Praline? Ja – denn Vielfachzucker ist besser als Einfachzucker. Genau deshalb halten Vollkornprodukte auch länger satt und vermeiden Heißhunger-Attacken.
- Trinke Wasser, was das Zeug hält. Wasser kurbelt den Stoffwechsel an und sorgt dafür, dass der Magen gefüllt ist, ohne dass du zu viel isst.
- Nüsse, Samen und Körner sind nicht nur für Veganer die richtige Kost, wenn sie wertvolle, pflanzliche Fette zu sich nehmen möchten. Doch Vorsicht: In Nüssen und Körnern stecken auch jede Menge Kalorien.
- Weißmehlprodukte belasten Magen und Darm. Deshalb sind grundsätzlich Vollkornprodukte besser, als jede Art von weißem Mehl.
- Bitte achte stets darauf, hochwertige Zutaten nach Saison zu kaufen. Warum? Hierin stecken jede Menge Vitamine und Mineralstoffe! Außerdem ist heimatliche Kost gemäß den Jahreszeiten billiger, als zum Beispiel Erdbeeren im Winter,

die ohnehin nur nach Wasser und Konservierungsstoffen schmecken.

- Denk daran: Ein Zuviel an Essen verursacht Schlafstörungen. Mit vollem Magen hat es sich noch nie gut geschlafen, oder?
- Achte bitte auch auf den Kaloriengehalt von Säften, Milch-Drinks, Alkohol oder Limonaden. Zucker schädigt nicht nur die Zähne, sondern ist auch schlecht für deine Verdauungsorgane. Zucker macht dick und begünstigt Schlafstörungen.
- Genieße am Morgen eine Mahlzeit aus Früchten, Joghurt oder feinen Vollkornprodukten. Das liefert dir den perfekten Start und Power für deinen Tag. Am Abend hingegen kann deine Mahlzeit durchaus sparsamer ausfallen.
- Lerne bitte, frisch, gesund und fettarm zu kochen. Der Aufwand lohnt sich auf Dauer: Du kannst hier die feinen Kräuter sammeln, und deine Salate damit veredeln.
- Lerne bitte, auf den Kaloriengehalt deiner konsumierten Lebensmittel zu achten. Das ist wichtig, um bei deinem Gewicht die Balance zu halten.

Du siehst an diesen einfachen Vorschlägen: Gesunde Ernährung kostet zwar etwas Zeit, lohnt sich jedoch auf Dauer für dich und deine gesamte Familie. Das Beste daran: Der Kreis einer vitalen Lebensform schließt sich von selbst, wenn du bei Spaziergängen Kräuter in der Natur sammelst und diese in deine Rezepte mit integrierst. So bewegst du dich an der freien Natur, unternimmst sinnvolles mit ein wenig Bewegung und kannst die feinen Schätze aus der Natur in deine Salate schneiden oder zum hochwertigen Tee verarbeiten. Was willst du mehr?

Mit dieser Lebensform darfst du auf Dauer auch deinem Schlaf einen erfüllenden Dienst erweisen. Bitte überdenke stets deine gesamte Lebensweise, wenn du an Schlafproblemen leidest!

Tipp:

Ich kann es in meinem Buch nicht oft genug sagen: Schwere, fette oder zu kalorienreiche Gerichte solltest du dir am Abend auf alle Fälle verwehren. Mit vollem Magen schläft es sich meist nicht gut. Außerdem sind rohe Speisen oder Salate nicht für jeden Menschen abends verträglich. Was ist besser? Leicht gedünstetes Gemüse mit feinen Gewürzen und einer Portion Schärfe (Ingwer, Chili oder Knoblauch) verträgt am Abend meist jedes Familien-Mitglied. Während die Pizza mit Weißmehl und viel Fett oft schwer im Magen liegt, ist das Vollkornbrötchen mit magerem Käse meist die bessere Entscheidung für einen erholsamen Schlaf.

4. Gesund und dennoch müde während des Tages – das Mittagsschläfchen...

Sehnst auch du dich ab und an nach dem Mittagsschläfchen zwischendurch? Ja – die Ruhe-Phase nach dem Essen beweist seit vielen Jahren Tradition. Schließlich fühlen wir uns oft nach einem Mittagessen, hormonell bedingt, etwas träge und müde. Was spricht dagegen, sich jetzt eine Stunde aufs Ohr zu legen?

Zum Nickerchen zwischendurch gibt es viele unterschiedliche, wissenschaftliche Studien zu finden. Während die Ergebnisse von vielen Medizinern folgendes besagen: „Wer tagsüber schläft, ist viel zu ausgeruht, um in der Nacht erholsamen Schlaf zu finden!“ gibt es genauso viele Gegenstimmen, die äußern, du solltest nach deinem Bedürfnis dann schlafen, wenn es dein Körper einfordert.

Wie auch hier die Meinungen auseinandergehen, dass man eben nur zu Tages- und Nachtzeiten nach System ruhen sollte, so gibt es auch für die Dauer des Mittagsschläfchens sehr unterschiedliche Thesen.

Mein gesunder Menschenverstand sagt mir folgendes:

Bitte achte darauf, dass du im Durchschnitt auf ca. 7-8 Stunden Schlaf (als Erwachsener) pro Tag kommst. Gleiche Defizite dann aus, wenn du schlafen kannst und das Bedürfnis nach Schlaf empfindest. Diese Faustregel gilt nur für gesunde Menschen, denn feststeht: Während unserer verschieden durchlebten Phasen im Leben benötigen wir ein unterschiedliches Pensum an Schlaf.

Ein Beispiel:

Kennst du es selbst, dass du bei einem grippalen Infekt nur noch schlafen willst? Ganz klar – dein Körper will sich erholen und zur Ruhe kommen, um zu genesen. Diese Tatsache spricht auch dafür, dass in einer Klinik sehr schwer Kranke nach einer anstrengenden Operation zum Beispiel in ein künstliches Koma versetzt werden. Hier zählt die Devise: Im Schlaf kann sich der Mensch von allen Strapazen am besten erholen.

Genau aus diesem Grund empfehle ich dir: Höre bitte auf deine innere Stimme und genieße das Nickerchen zwischendurch, wenn es dir guttut. Hier tankt dein Körper automatisch wieder Energie und kann neue Kräfte sammeln.

Der „Schlaf-Trend" geht also durchaus wieder zurück zur Natur. Folge deinem Herzen, wenn dies möglich ist, doch achte bitte grundsätzlich darauf, in der Nacht zu schlafen.

Übrigens:

Wie genau solltest du es denn mit der genau richtigen Schlaf-Dauer für dich nehmen? Alleine die unterschiedlichen REM und NREM-Phasen sowie die Tatsache, dass wir uns im leichten oder im tiefen Schlaf befinden, spricht nicht dafür, stets nach der Regel „8 Stunden Schlaf muss der Mensch jeden Tag erhalten!“, zu leben.

Wenn wir träumen oder nur einen sehr leichten Schlaf genießen, benötigen wir im Grundsatz sogar eine längere Schlafdauer als die empfohlene Dosis von 8 Stunden. Wer hingegen tief oder „schwer wie ein Stein“ schläft, kann sich schon nach einer Schlaf-Dauer von ca. 6 Stunden erholt fühlen. Nach dieser kurzen Zeit fühlen sich die Tiefschläfer fit und voller Tatendrang!

Nur ein Schlaflabor kann deine einzelnen Phasen im Schlaf genau analysieren. Da wir uns nicht immer in einem Schlaflabor aufhalten (vielmehr ist dies eher selten), solltest du in Sachen Schlaf und Nickerchen zwischendurch auf deine innere Stimme hören. Allerdings raten viele Experten dazu, sich bei einem Mittagsschlaf den Wecker zu stellen, damit du nicht endlos weiterschläfst und die Nacht im Anschluss hellwach verbringen musst.

G) Die Praxis für dich: In drei Wochen zum Traum-Schlaf

Nun geht es ans Eingemachte: Setze all dein neu gewonnenes Wissen jetzt um! Glückwunsch an dieser Stelle, dass du dich jetzt so viel mit dem Thema Schlaf beschäftigt hast. Das ist die beste Grundlage für einen dauerhaft sehr gesunden Schlaf. Bitte höre auf keinen Fall auf, das Buch jetzt weiterzulesen – denn jedes Wissen ist nur so gut, wie wir es für uns selbst umsetzen!

Weil ich aus eigener Erfahrung weiß, wie schwer es manchmal fällt, in der Praxis den „inneren Schweinehund" zu überwinden, habe ich dir, unter Absprache mit Experten, einen genauen Maßnahmenkatalog für die nächsten 3 Wochen entwickelt. Wetten, hier wirst auch du sehr schnell für dich lernen, endlich zu einem erholsamen Schlaf zu finden?

Es gilt jetzt, Schritt für Schritt, für dich zum Traumschlaf zu gelangen.

1. Vorstellung des Maßnahmenplans für die nächsten drei Wochen

Jetzt stelle ich dir erst einmal vor, um was es in diesem Teil geht, deinem Plan, bei dem du für dich und dein Leben der Ursache deiner Schlafprobleme auf den Grund gehst. Dazu gehört es, dass du mit dem Schlaf-Tagebuch bitte mitarbeitest. Was ist das Ziel davon? Nur so verfestigt sich dein Wissen und du bleibst dabei, dein Leben zu verbessern.

Mit dem konkreten 3-Wochen-Plan kannst du so effizient agieren und nicht nur über Probleme lamentieren. Außerdem zählt die Devise: Wer schreibt, der bleibt. Es ist therapeutisch erwiesen: Nur wenn wir uns in Form von Visualisierung wichtige Elemente aufschreiben und immer wieder anhand unserer Notizen arbeiten, verfestigt sich unser Wissen. Das Ziel liegt darin, letztendlich im Anschluss nach dem 3-Wochen-Plan einen Automatismus entwickelt zu haben, der deinen gesunden Schlaf für dich persönlich fördert.

Weil ich weiß, wie sehr unterschiedlich wir Menschen ticken, solltest du dein Schlaf-Tagebuch mit den FÜR DICH wichtigen Elemente befüllen. Wir Menschen sind alle ein wenig anders – deshalb fällt auch dein Schlaf-Tagebuch ganz sicher völlig anders aus, als bei anderen Menschen.

Kleine Wochenaufgaben bereichern deinen Alltag

Rom wurde auch nicht an einem Tag erschaffen, oder? Genau an diesem Spruch, den jeder von uns kennt, merkst auch du: Mit kleinen Aufgaben für dich wirst du es Schritt für Schritt schaffen, die von dir gewünschten Maßnahmen erfolgreich umzusetzen. Was kann ich dir mit den Wochenaufgaben und den von dir gesetzten Zielen nicht versprechen? Ich werde dir jetzt nicht vorhersagen, dass es ganz ohne dein Zutun möglich ist, deinen Schlaf zu verbessern.

Sicher erfordern auch kleine Wochenaufgaben, die ich dir noch ganz genau vorstellen werde, einen Energie-Einsatz von dir. Doch – setze dir immer dein Ziel für dich vor Augen: Nur so lernst du in der Praxis, dich von unnützen Störfaktoren zu befreien. Somit gelangst du, Schritt für Schritt, zu einem gesunden, wohltuenden Schlaf.

Dabei kannst du dir selbst genau die Wochenaufgaben selektieren, die dir am meisten entsprechen. Ich liefere dir in meinem Buch lediglich Tipps und Ideen, die Umsetzung liegt an dir selbst. Stell dir bitte folgende Metapher dabei vor: Ich reiche dir mit diesem konkreten Umsetzungsplan für die Praxis lediglich die Hand – diese ergreifen und an ihr laufen – das kannst nur du ganz alleine! Doch ich verspreche dir: Es macht Spaß, an meiner Hand zu gehen.

Wenn du somit in die richtige Richtung in Sachen gesunder Schlaf marschierst, wirst du dein Leben ganz erheblich damit bereichern!

Ich lade dich jetzt herzlich ein, die Sache ernst zu nehmen. Wer weiß – vielleicht willst du sogar mit deinem Partner oder einer guten Freundin gemeinsam in 3 Wochen zum Ziel deines Traumschlafes gelangen? Genau dann ist es elementar, dir die nächsten 3 Wochen die Zeit einzuräumen, die dir schrittweise dabei hilft, das Problem eines gestörten Schlafes an der Wurzel auszureißen. Packe das Unkraut an der Wurzel – und schaffe die Grundlage für einen Nährboden eines gesunden Lebens!

Jetzt schon wünsche ich dir: viel Freude, Motivation und Spaß bei den nächsten 3 Wochen mit der Erfüllung des Zieles, zu deinem Traumschlaf zu gelangen!

2. Warum ist dein Schlaf-Tagebuch mit allen Schritten so wichtig?

Wie ich dir bereits erklärt habe, schafft Schriftlichkeit einfach Verbindlichkeit. Nur, wenn du dir die Zeit für deine Notizen nimmst, wirst du nichts von dem, was du an Kenntnissen gewinnst, vergessen.

Stell dir folgendes Beispiel vor: du planst deinen Familien-Einkauf ohne Einkaufszettel. Wie groß ist die Wahrscheinlichkeit, dass du einzelne Lebensmittel vergisst und dadurch keine vernünftigen Rezepte kochen kannst? Wenn du für deine Tochter das spezielle Schreibset für die Schularbeiten vergisst, musst du nochmals in das Geschäft zurücklaufen. All das ist ineffizient und halbherzig.

Genau aus diesem Grunde schreiben wir Menschen uns einen Einkaufszettel. Hier finden auch Familienmitglieder die Möglichkeit, wichtige Dinge zu notieren.

Genauso verhält es sich auch mit deinem individuellen Schlaf-Tagebuch. So denkst du an viele Dinge, die dir sonst vielleicht nicht auffallen würden. Außerdem geraten so deine Erlebnisse nicht in Vergessenheit. Wer weiß – vielleicht willst du mit deinem Schlaf-Tagebuch in 1-2 Jahren erneut eine Analyse deines Schlafes starten? Was hat sich dann vielleicht sogar für dich zum Positiven verändert?

Nun gilt es, ein Schlaf-Tagebuch für dich persönlich zu finden. Was empfehle ich dir zu diesem Thema? Die Auswahl des für dich passenden Tagebuchs ist ganz einfach: Es reicht, ein leeres Buch mit deinen Notizen zu bereichern. Am besten nimmst du ein leeres Buch, das dir in Sachen Outfit und Aufmachung gut gefällt und befüllst es mit einem edlen Stift. Wetten, dass so die Aufgabe mit deinem Schlaf-Tagebuch viel einfacher zu bewältigen ist?

In deinem Schlaf-Tagebuch findest du, ähnlich wie bei einem „normalen" Tagebuch, einen Wegbegleiter, der dich nicht nur persönlich die nächsten 3 Wochen weiterbringen wird. Dein Tagebuch des Schlafes kann zu deinem wahren Freund und zu einem Schatz in deinem Leben werden. Hier haben auch Ängste, Sorgen und Probleme den Platz, den du diesen Störfaktoren einräumen solltest. Nur, wenn du diese elementaren Probleme, so gut es möglich, aus deinem Leben schaffst, wirst du für dich auf Dauer zu dem erholsamen Traumschlaf finden, den du dir so sehnlich wünschst.

Wichtig: Nimm dein Schlaf-Tagebuch ernst. Ehre es als deinen Begleiter und als Freund deiner Gesundheit. Nur so wirst du auf Dauer dein Verhalten so ändern, dass dein Leben bleibend dadurch bereichert wird.

Tipp:

Welches Tagebuch schwebt dir jetzt genau vor? Kaufe es dir – es soll dich motivieren und einladen, alle Notizen rund um deinen Schlaf darin sorgsam aufzubewahren! Ob du die Inhalte von deinem Tagebuch mit einer dir vertrauten Person teilen willst, bleibt natürlich nur dir ganz alleine überlassen. Wetten, dass du viele neue Erkenntnisse mit dieser Methode für dich gewinnen wirst? Auf geht's – die nächsten 3 Wochen mit deinem Schlaf-Tagebuch!

3. Woche 1: Analysiere dein Verhalten im Schlaf

Nun ist es soweit: Dein leeres Schlaf-Tagebuch liegt vor dir. Die Woche 1 beginnt und damit die Aufzeichnungen rund um die Analyse deines Schlafes. Wie so oft im Leben solltest du im ersten Schritt eine Momentaufnahme wagen.

Während dieser Trainings-Wochen stelle ich dir eine Checkliste in Form von einem Wochenplan auf. Was sollen dir diese kleinen Helfer bringen? Mit der Checkliste hast du ein Hilfsmittel an der Hand, welches dir dabei genauen Aufschluss gibt, welche Störfaktoren es für dich überhaupt gibt. Versuche bitte, alles was dir zu diesen Punkten einfällt, genau zu notieren. Dabei gibt es kein Richtig und kein Falsch!

Deine Notizen aufgrund meines Wochenvorschlages sind so individuell, wie deine persönlichen Schlafstörungen es vorgeben können.

Der Wochenplan umfasst kleine Aufgaben bei der Analyse deines Schlafes in der 1. Woche. Ich stelle dir jeden Tag eine Möglichkeit dar, die dir dabei helfen kann, alle Störfaktoren deines Schlafes genau zu erkennen. Ich fordere dich auf, alles zu jedem einzelnen Punkt in deinem Schlaf-Tagebuch zu notieren.

Darüber hinaus gibt es sicher nicht nur 7 oder 8 Elemente für jeden Menschen, die es in einer Woche aufzuzeichnen gilt. Deshalb empfehle ich dir, dass du dir immer genügend Raum für eigene Notizen einräumst. Ein Schlaf-Tagebuch darf an jedem Tag mit neuen Inhalten befüllt werden. Du darfst dabei zu zurückliegenden Tagen Notizen beifügen oder dir andere Dinge notieren, die dir rund um deinen Schlaf wichtig erscheinen. Wichtig ist: Arbeite mit deinem Schlaf-Tagebuch an jedem einzelnen Tag! Jetzt starten wir gemeinsam.

Woche 1 – die Analyse deines Schlafes

1. Tag: Überprüfe deine Umgebung sehr genau

An diesem ersten Tag solltest du für dich dein Schlafzimmer sehr genau unter die Lupe nehmen. Achte deshalb darauf, genau jeden einzelnen Winkel in deinem Schlafraum und in der Umgebung zu begutachten. Sieh dir folgende Elemente einmal ganz genau an:

- Das Bett – wie liegt es sich wirklich auf deiner derzeitigen Matratze?
- Ist das Schlafkissen für dich genau das Richtige?
- Wie schalldicht sind die Fenster und Mauern in deinem Schlafzimmer?
- Vielleicht lohnt es sich auch, die gesamten Bettwäsche, die Bettdecke und das Bettgestell genau zu begutachten? Jedenfalls lade ich dich ein, dich auch in einem Spezialgeschäft genau nach den Dingen umzusehen, die dein Schlafzimmer vielleicht so bereichern können, damit du bestens in deinem Bett liegst und keinerlei Beschwerden (körperlicher Natur) auf dich nehmen musst.

- Wenn du diese Elemente gecheckt hast, miss bitte einmal vor dem Zubettgehen genau die Temperatur, in der du nachts schlafen willst. Sie sollte ca. 15 Grad - 18 Grad betragen. Außerdem sollte dein Schlafzimmer natürlich mit Frischluft und nicht künstlich in Form einer Klima-Anlage gekühlt werden. Ein Schlafzimmer mit angenehmer Luftfeuchtigkeit und nicht mit trockener Heizungsluft ist gut für deine Atemwege.
- Wie kannst du dein Schlafzimmer verdunkeln und es vor allen technischen Störfaktoren befreien? Befreie dein Zimmer für die Nacht von Handy, PC, Laptop und TV.
- Bitte notiere dir die Zeiten auf, in denen du die letzten ca. 3 Wochen geschlafen hast, wie lange die Ruhe-Phase des Schlafes angedauert hat und ob du dich an Träume erinnern kannst. Denkst du, du warst im Tiefschlaf oder in der NREM-Phase des Leichtschlafes? Notiere dir alles, was dir dazu einfällt!
- Übrigens: Frische Pflanzen haben im Schlafzimmer in der Regel nichts zu suchen. Schreibe dir alles, was dir zu diesen Themen rund um deine Schlaf-Umgebung einfällt, genau auf.

2. Tag: Was genau stört Deinen Schlaf?

Am zweiten Tag gilt es, die Ursache deines unruhigen Schlafes näher zu finden. Dabei solltest du nicht nur auf die Menschen deiner Umgebung achten, sondern vor allem auf dein Verhalten. Bitte notiere dir in diesem Feld jetzt nicht Dinge wie: „Die Kindern quengeln immer so in der

Nacht!“, sondern versuche, auch jetzt schon auf dein daraus resultierendes Verhalten einzugehen.

So kannst du in dem besagten Beispiel notieren: „Ich lasse mich zu sehr davon stören, dass die Kinder die Nacht über quengeln!“

Merkst du den Unterschied? Du kannst hierbei schon eine eventuelle Maßnahme mit überdenken (was eigentlich erst in der 2. Woche auf dem Plan steht).

Doch – es sei erlaubt, dich jetzt nicht mit Schuldgefühlen zu überhäufen, sondern schon daran zu denken, dass sich dein Partner oder ältere Geschwister der Kinder um die Kleinen in der Nacht auch einmal kümmern können.

An diesem 2. Tag geht es auch um die Analyse der Störfaktoren von außen, die du nicht immer beeinflussen kannst. Notiere dir dennoch alles, was dich in der Nacht von einem gesunden Schlaf abhält. Hier können zum Beispiel Störfaktoren stehen wie:

- Licht und Geräusche von außen
- die feiernden Nachbarn
- der schnarchende Ehemann
- eigenes permanentes Wasserlassen in der Nacht, das einen Toilettengang herbeizwingt

3. Tag – deine Rituale vor dem Zubettgehen

Am 3. Tag solltest du dir ganz genau notieren, welche Rituale du vor dem Schlafengehen praktizierst. Was pflegst du in der Regel am Abend für dich Sinnvolles zur Entspannung zu unternehmen?

Vielleicht regst du dich auch nur am Abend auf, dass dir dein Partner nicht dabei hilft, sich um die Hausaufgaben deiner Kinder mit dir gemeinsam zu kümmern. Was hast du im Laufe meines Buches gelernt? Aufregung und Streit am Abend solltest du vermeiden. Bitte notiere dir jetzt alles, welche Rituale du in der Regel in den letzten 3 Wochen am Abend gepflegt hast, die dich vielleicht entspannt, beruhigt oder sogar vom Ballast im Alltag befreit haben.

Mit wem hast du etwas unternommen? Was hat dir in den letzten 3 Wochen gutgetan, um am Abend zur Ruhe zu kommen? Vielleicht hat dir ein beruhigender Film am Abend zum gesunden Schlaf verholfen oder der aufregende Krimi eine schlaflose Nacht verursacht.

Am wichtigen 3. Tag geht es um die Rituale der letzten ca. 3 Wochen, die du durchgeführt hast. Schreibe dir möglichst genau auf, was an den Abenden der letzten Tage für dich förderlich für den Schlaf war und was nicht. Wenn du dich einen Tag nicht mehr erinnern kannst, wie es dir am Abend erging und welche Aktivitäten du unternommen hast, ist es kein Beinbruch. Es geht darum, eine generelle Tendenz zu erkennen.

Rituale sind alle Lebensgewohnheiten, die dir einfallen. Vielleicht willst du diesen Tag auch mit deinem Partner gemeinsam in deinem Schlaf-Tagebuch befüllen?

4. Tag – Wie ernährst du dich am Abend, zu welcher Zeit?

An diesem 4. Tag ist es wichtig, dir im Allgemeinen über deine Ernährungsgewohnheiten tiefe Gedanken zu machen. Dabei geht es natürlich hauptsächlich um deine Abendmahlzeiten, die dir vielleicht bekommen oder auch nicht. Vielleicht lag dir die Pizza vom Italiener schwer im Magen oder du bist gar hungrig und müde ins Bett gegangen? Beide Gewohnheiten sorgen nicht unbedingt für einen erholsamen Schlaf.

Hierzu gehört es auch, sich nächtliche Ess-Attacken ehrlich zu notieren. Außerdem solltest du natürlich immer sehr ehrlich zu dir selbst sein, wenn du dir die Notizen in deinem Schlaf-Tagebuch machst. Bitte vergiss dabei nicht, dir über alkoholische Getränke und auch deinen Zigaretten-Konsum Gedanken zu machen.

Ist es gar die Tasse Cappuccino am Abend oder der Espresso beim Italiener nach der Pizza, die einen Einfluss auf dein Schlafverhalten haben? Notiere dir in Sachen Lebensmittel alles, was dir einfällt!

5. Tag – Wie sieht es mit sportlicher Betätigung aus?

An diesem Tag darfst du dir alles aufschreiben, was du in Sachen Bewegung für dich unternommen hast. Dazu gehören Spaziergänge an der frischen Luft genauso wie das Fitness-Training im Studio oder die Rückengymnastik.

Bitte achte in diesem kleinen Kapitel der Checkliste vor allem darauf, zu welcher Tageszeit du deinen Sport ausübst. Sicherlich erkennst du dabei recht schnell: Sport am Abend pusht, du solltest danach unbedingt ein wenig Zeit investieren, um zur Ruhe zu finden.

Wenn du einen Fitness-Trainer oder einen Schritt-Zähler am Handgelenk trägst, kannst du dieses Hilfsmittel mit verwenden, um deine Aktivitäten genau zu analysieren.

Tipp:

Mehr als bedeutungsvoll an diesem Checklisten-Punkt ist es, dir einmal zu überlegen, welcher Sport dir genau den Spaß bereitet, damit du nachhaltig dadurch dein Leben bereicherst. Was in Sachen Aktivität könnte dich vielleicht sogar ganz neu beflügeln?

Hierzu zählen:

- Schwimmen
- Sport im Verein in der Gemeinschaft
- Aktivität an der freien Natur
- spezielle Gymnastik, die deinem Körper guttut

6. Tag – wie oft führst du meditative Übungen durch?

Jetzt geht es ans Eingemachte: Hinterfrage dich einmal genau, ob du mit Yoga, Thai Chi oder anderen meditativen Übungen für dein Wohlbefinden auf Dauer sorgen kannst. Du hast noch nie Qigong oder progressive Muskelentspannung für dich angewendet? Dann überdenke, wie du am Abend bei Kerzenschein und einer Tasse Beruhigungstee zur Ruhe findest.

Irgendein schöner, meditativer Zeitpunkt sollte in jedem Leben zu finden sein. Vielleicht hat dich ein angenehmer Text der Entspannung berührt oder ein schöner Film sehr beeindruckt? Notiere dir bitte alles, was ungefähr die letzten 3 Wochen für dich zur Entspannung oder Meditation am Abend beigetragen hat.

Tipp:

Tausche dich bitte mit Freundinnen aus, welche Techniken sie zur Entspannung anwenden. Wer weiß – vielleicht ist auch für dich das genau richtige Instrument mit dabei?

7. Tag – mit wem sprichst du über deine Sorgen?

Am letzten Tag der Woche geht es um deine Psyche. Allzu oft quälen uns Sorgen, Nöte und Ängste, zu denen wir gerade einmal selbst den richtigen Zugang finden. Wie gehst du mit deinen Gedanken um und mit wem möchtest du deine Probleme teilen, damit sie wirklich nicht permanent in deinem Kopf kursieren?

Manchmal kannst du deinen Partner in deine Gedankenwelt miteinbeziehen. Oft kann dir eine vertraute Freundin dabei helfen, damit du deine Sorgen loswirst. Wichtig ist: Bitte jammere nicht in dein Innerstes hinein, sondern versuche, dich sachlich und auf ehrliche Art und Weise mit anderen auszutauschen.

Manchmal hilft auch ein Coaching oder eine ambulante Psychotherapie dabei, seine Ängste und Probleme mitzuteilen. Bitte scheue dich jetzt nicht, ehrlich den Tatsachen an diesem letzten Tag der ersten „Trainings-Woche" rund um deinen Schlaf tief ins Auge zu blicken. Nur so kannst du lernen, der Ursache deiner Probleme tatsächlich tief auf den Grund zu gehen.

Wer weiß – vielleicht willst du auch all deine Probleme mit dir ganz alleine vereinbaren? Das geht auf Dauer meist nicht gut, wenn du deinen gesunden Schlaf fördern und nicht zerstören willst. Bitte notiere dir alles, was dir zu diesem Thema auffällt.

Sonstiges:

Im letzten Punkt der 1. Maßnahmen-Woche fordere ich dich auf, dir bitte alles zu notieren, was dir sonst in Sachen Schlaf-Analyse noch einfällt. Wie war es ungefähr die letzten 3 Wochen mit deinen Lebensgewohnheiten? Was hat dich dazu geführt, dieses Buch zu lesen und an dir zu arbeiten? Im Punkt „Sonstiges" hat nun alles Platz, was dir jetzt wichtig erscheint. Willkommen im Club der Autoren, die für ihre Gesundheit alles aufschreiben dürfen, was rund um die Schlaf-Analyse als wichtig erscheint!

Resümee der 1. Woche:

Nun hast du viele Angelegenheiten rund um deinen Schlaf tiefgreifend analysiert. Halte jetzt inne, klappe das Buch einmal zu und atme tief durch. Bist du schon neugierig auf die 2. Woche, in der es um die Priorisierung deiner Checkliste geht? Ich bin mir sicher – auch du kannst jetzt schon sehr viel dabei lernen...

4. Woche 2: Wie findest du Schritt für Schritt mit den richtigen Maßnahmen und dem passenden Wochenplan zum gesunden Schlaf?

Dankeschön an dieser Stelle, dass du in der 1. Woche so aktiv mitgearbeitet hast! Sicherlich liegt jetzt ein großes Buch voller Notizen vor dir, oder? Es gilt jetzt, diese Notizen für dich auszuwerten. Dabei empfehle ich dir, um deinen individuellen Wochenplan der Umsetzung des gesunden Schlafes selbst zu kreieren, dir jetzt genau die Resultate der ersten Woche anzusehen.

Denke nun einmal, zu Beginn der 2. Woche rund um den gesunden Schlaf, genau über alles nach, was du dir aufgeschrieben hast. Jetzt geht es um die Priorisierung deiner Checkliste. Sicher siehst du jetzt einen großen Berg von vielen Worten, die dich erst einmal erschlagen.

Halte innen und überlege dir jetzt ganz detailliert, was für dich die größte Hürde ist, die zu deinen Schlafproblemen geführt hat. Ringle diese Analyse der 1. Woche bitte mit einem roten Stift ein und schreibe groß daneben die Ziffer 1.

Nun versuchst du, das zweitgrößte Hemmnis deines Schlafes herauszufinden. Das kann zum Beispiel sein, dass du am Abend zu viel gegessen hast oder nachts um 22 Uhr ein Streitgespräch mit deinen Kindern geführt hast. Ringle diesen Punkt ebenfalls dick ein und schreibe die Ziffer 2 daneben.

Fahre nun so fort, bis du genau für 7 Tage das gefunden hast, was dich am meisten vom so dringend notwendigen Schlaf abgehalten hat.

Ein paar Beispiele, die ich aufgrund diverser Erfahrungsberichte von Betroffenen gerne weitergeben kann:

1. Meine innere Unruhe rund um meine Karriere macht mir gedanklich zu schaffen. Wie kann ich nur mit meinem Chef über die Gehaltserhöhung sprechen und mich dabei gut verkaufen?
2. Ich schlafe immer viel zu spät (erst gegen 2 Uhr in der Nacht) ein, weil ich erst um 21 Uhr Zeit für mein Abendessen finde. Hungrig schlinge ich dann schnell die Nudeln mit Sahne-Sauce in mich hinein. Dann esse ich viel zu viel und mich quält bis Mitternacht ein Völlegefühl.
3. Die Kinder gehen im Sommer nie zu Bett und ich muss mich stets alleine darum kümmern, dass sie bei hellem Licht um 22 Uhr endlich in ihrem Kinderzimmer bleiben.
4. Ich träume jede Nacht von meiner verflossenen Liebe, die nicht vorbei ist. Am Morgen quälen mich Schuldgefühle gegenüber meinem Mann, mit dem ich über meine Träume nicht sprechen will.
5. Ich bin im Alltag viel zu gehetzt, um nach meiner täglichen Arbeit am Abend noch die ganze Hausarbeit zu verrichten. Abends bin ich erschöpft und dennoch zu aufgekratzt, um meine innere Ruhe zu finden. Genervt streite ich dann mit meinem Mann, dass er auch etwas zur Hausarbeit beitragen muss, was die Stimmung am Abend nur noch verschlimmert.
6. Die Nachbarn mit ihren lauten Geräuschen im Schlafzimmer halten mich 2-3-mal in der Woche von meinem geruhsamen Schlaf ab.
7. Ich weiß, dass ich das Schnarchen meines Mannes nicht abstellen kann. Dennoch bin ich dadurch jede Nacht selbst wie gerädert und finde nicht zur Ruhe!

An diesen Beispielen siehst du, wie eine Priorisierung aussehen kann. Das für dich wichtigste Problem sollte hierbei an erster Stelle genannt werden.

Du hast jetzt also 7 Punkte, die dir wichtig erscheinen, mit den Ziffern 1-7 priorisiert.

Nun schlage ich dir vor: Entwickle selbst einen Wochenplan, wie du jedes einzelne Problem, Schritt für Schritt aus der Welt schaffen kannst. Dabei sind eigene Ideen Gold wert. Maßnahmen, die realistisch und erfüllbar sind, versprechen hierbei die größten Erfolge.

Dieser Punkt kostet dich ein wenig Zeit. Dennoch motiviere ich dich: Bitte nimm dir diese Zeit. Du solltest ganz genau überlegen, wie du all die Probleme abstellen kannst. Je genauer du deine Lösung für dich ausformulierst, desto besser! Schreibe also bitte nicht:

„Ich will mehr Sport von 18 Uhr bis 20 Uhr betreiben“, sondern formuliere genau dein Ziel: „Ich melde mich mit meiner Freundin im Fitness-Studio an, das wir zweimal pro Woche am Dienstag und Freitag besuchen!“

Je realistischer die Ziele, desto besser klappt es auch bei der Umsetzung. Deine Punkte 1-7 befüllst du nun, Schritt für Schritt, mit einer Lösung, die auch gangbar für dich ist. Fällt dir einmal gar nichts zu einem Thema ein? Das ist nicht schlimm – arbeite an den Punkten, die du verändern kannst!

Für deine Punkte, die du selbst erkannt hast, kann dein Wochenplan zum Beispiel wie folgt aussehen:

1. Ich rede mit meinem Partner sachlich darüber, wie er mir in Sachen Kindererziehung am Abend helfen kann.

   Genau diesen Plan solltest du dir natürlich nicht nur aufschreiben, sondern auch tatkräftig am ersten Tag der 2. Woche umsetzen. Vorsätze allein sind Schecks auf einer Bank ausgestellt, auf der du keinerlei Konto besitzt.

2. Ich werde am Abend viel Obst und Gemüse essen, das mir leicht im Magen liegt.

   Bitte befolge den Plan auch, indem du dir aktiv angewöhnst, gesunde Lebensmittel einzukaufen um diese auch zu Hause vorzufinden. Was spricht dagegen, das eine oder andere leckere Rezept dazu gleich auszuprobieren?

3. Ich will jeden Tag am Abend einen Beruhigungstee von Johanniskraut-Blüten oder Hopfen trinken.

   Zu diesem Punkt kann ich dir nur sagen: Bitte erwarte nach 1-2 Wochen keine Wunder. Bis Kräutertees erhitzte Gemüter am Abend nachhaltig beruhigen, vergehen meist ca. 6-8 Wochen. Hier zählt – Geduld ist das Wundermittel der Natur!

4. Mein Schlafzimmer ist viel zu warm in der Nacht. Doch meinem Partner zieht es immer am Rücken, wenn ich für Sauerstoff-Zufuhr sorge.

   Hier kann die Lösung sein, dass du für eine Zeit lang einmal in einem zweiten Schlafraum übernachtest. Getrennte Schlafzimmer können für eine gewisse Zeitspanne durchaus sinnvoll sein. Das hat weder mit Liebesentzug noch mit mangelnder Toleranz zu tun. Probiere aus, ob du dann vielleicht besser schlafen kannst, wenn du selbst für die Umgebung sorgen darfst, die dir guttut.

5. Ich will am Abend nicht streiten – doch sonst bleibt so wenig Zeit zum Reden.

   Bitte versuche dennoch, schwierige Gespräche auf das Wochenende oder einen anderen Zeitpunkt als auf die Abendstunden zu verschieben. Streit am Abend ist Gift für deine Psyche!

6. Ich muss mehr für mich selbst unternehmen doch finde einfach keine freie Zeit in meinem Alltag.

   Bei diesem Punkt kannst du einmal genau darüber nachdenken, warum du so gehetzt bist. Kannst du kaum Nein sagen oder musst du im Haushalt alles alleine bewältigen?

7. Die Alltagssituation lässt es nicht zu, dass ich gesund koche. Am Abend bin ich einfach zu müde zu kochen und so schieben wir uns die Fertig-Pizza in den Ofen, die der ganzen Familie schmeckt.

Diese Formulierung klingt ein wenig nach einer Ausrede. Natürlich ist gegen das Fertiggericht am Abend ab und zu nichts einzuwenden. Kochen kostet Zeit und Aufwand, das ist vollkommen richtig. Dennoch empfehle ich dir: Organisiere in deinem Alltag einiges um. Vorkochen am Wochenende und eine Gefriertruhe mit leckeren, gesunden Speisen ist Gold wert. Außerdem macht es auch Spaß, im Familien-Alltag gemeinsam den Obst-Salat zu schnippeln. Das ist besser als gemeinsam vor der Glotze abzuhängen.

Wie kannst du zum Beispiel Bio-Gemüse so in deinen Rezepte-Plan integrieren, dass du dich mit deiner Familie halbwegs gesund ernährst? Es ist, wie in Sachen Sport: Aller Anfang ist schwer. Doch eine Umorganisation in deinem Alltag kann dir dabei helfen, dich biologisch wertvoll zu ernähren. Rom wurde auch nicht an einem Tag erschaffen: Trainiere dich beim Kochen in kleinen Schritten zum Meister. Beginne also, Schritt für Schritt, viel Obst und Gemüse in deinen Ernährungsplan zu integrieren und das Fett zum Beispiel stark zu reduzieren. Wetten, dass durch diese Maßnahmen schon sehr viel gewonnen ist? Auch deine Familie kann dir dabei helfen – lerne, sie in den Koch-Alltag mit einzubeziehen.

Am Tag 7 zum Beispiel kannst du, wenn es dein Alltag erfordert und es auf deinem Wochenplan steht, besonders darauf achten, dich gesund und im Sinne der Nachhaltigkeit zu ernähren. Guten Appetit!

Resümee der 2. Woche:
Ich fasse es nun für dich nochmals zusammen:

Priorisiere deine Analyse aus Deinen Aufzeichnungen der 1. Woche aus dem Schlaf-Tagebuch. Nimm diese Sache sehr ernst und investiere bitte etwas mehr Zeit in diese 2. Woche, in der du deine Wochenaufgaben selbst so zusammenstellst, wie es für dich wichtig erscheint.

Schreibe dir nun für jeden Tag genau 7 Ziele auf, die du angehen willst. So machst du dir an jedem einzelnen Tag eine Tagesaufgabe. Was ist der Vorteil, wenn du dir in der 2. Woche selbst deinen Wochenplan durch diese Priorisierung zusammenstellst?

Selbst erkannte Ziele (hierzu habe ich dir viele Beispiele geliefert) entsprechen dir und deiner Persönlichkeit. Ziele dürfen für dich so zusammengestellt werden, dass du sie realistisch erreichen kannst.

Arbeite nun an jedem einzelnen Tag der 2. Woche an einem Ziel. Schritt für Schritt kannst du dich so von unnötigem Ballast aus deinem Alltag befreien. Dein erholsamer Schlaf in REM- und NREM-Phase kann so, allmählich gefördert werden.

Am Ende der Woche 2 darfst du dir auch kurze Notizen in dein Schlaf-Tagebuch schreiben, wie es mit der Umsetzung der einzelnen Ziele geklappt hat. Genau das ist die beste Eintrittskarte für die 3. Trainings-Woche für dein Schlaf-Verhalten, die ich dir im nächsten Kapitel genau darstellen werde. Neugierig darauf, wie es weitergeht?

5. Woche 3: So funktioniert die Umsetzung deiner Maßnahmen – genaue Analyse

Glückwunsch! Jetzt hast du schon sehr viel geschafft und gemeistert, was die Verbesserung deines Schlaf-Verhaltens anbelangt. Zwei Drittel liegen schon hinter dir – sei stolz auf dich, und die Erkenntnisse, die du jetzt schon gewonnen hast.

Nun, in der 3. Woche, geht es um die genaue Analyse deiner Maßnahmen und wie es im Detail mit der Umsetzung geklappt hat.

Bitte sei jetzt bei deinen Notizen so ehrlich wie möglich gegenüber dir selbst. Wenn du dir in die eigene Tasche lügst mit Ausreden wie: „Ich wollte ja Sport betreiben, doch an dem Tag war meine Tochter so schlecht gelaunt und ich wollte sie nicht alleine lassen..." helfen dir nicht dabei, dein Leben auf gesunde Art und Weise zu verbessern.

Wenn dir der Beruhigungstee aus den Johanniskraut-Blüten nicht schmeckt, ist das eine Tatsache, die du bei deinem Umsetzungsplan erkannt hast. Hier gilt es jetzt in der 3. Woche, der Analyse-Woche, eine Lösung zu finden. Wer weiß, vielleicht ist der beruhigende Melissen- oder Baldriantee ja für dich die bessere Alternative?

In deiner Analyse kannst du zu all deinen Zielen jetzt genaue Erkenntnisse gewinnen. Auch wenn die Abgrenzung und das „Nein-Sagen" gegenüber deiner Familie anfangs sicher für erstaunte Blicke gesorgt hat – sicher hast du auch dabei gewonnen, indem du jetzt vielleicht Hilfe im Haushalt bekommst. Dadurch bist du selbst weniger gestresst und am Abend entspannter als zuvor. Genau das wird dir dabei helfen, deine Einschlaf-Probleme jetzt besser im Griff zu behalten.

Die Maßnahmen-Analyse der Wochenaufgaben kann sehr unterschiedlich ausfallen. Tendenziell kannst du nicht jede einzelne Aufgabe an jedem Tag schaffen, sodass du jetzt, in der 3. Woche, absolut zufrieden mit allen Ergebnissen wärst. Bitte setze dich also nicht jetzt schon unter Druck, wenn du nicht schon mit allen Ergebnissen aus Woche 2 happy bist.

Als Grundsatz gilt: Wenn du von 7 Aufgaben 2-4 ganz zufriedenstellend gelöst hast, ist schon viel gewonnen. Hat sich in deinem Alltag rund um deine Schlafprobleme dadurch nicht so einiges erheblich verbessert?

Um es nun ganz genau zusammenzufassen: Schreibe dir jetzt in dein Schlaf-Tagebuch in Sachen Analyse alles auf. Dazu empfehle ich dir: Bereite dir drei Spalte vor. Die drei Spalten dürfen folgende Titel tragen:

1. Was hat sehr gut geklappt bei der Umsetzung meiner Ziele?
2. Wobei gibt es Verbesserungsbedarf und warum war die Umsetzung dieser Aufgabe schwierig für mich?
3. Was war eine unmöglich erreichbare Aufgabe und warum klappte es mit der Umsetzung nicht?

Diese drei Spalten befüllst du jetzt - so ehrlich wie möglich. Du kannst dabei gern deinen Partner zurate ziehen, wenn du ihn in dein Schlaf-Tagebuch mit eingeweiht hast. Bitte finde keine Ausreden und notiere einfach die Fakten: Was hat bei deiner Verhaltensumstellung geklappt und was nicht? Es geht jetzt nicht darum, etwas zu beurteilen und zu bewerten. Du musst dich weder dafür tyrannisieren, dass nicht alle deine Vorsätze umgesetzt wurden, noch dafür schämen. Verflüchtige dich jedoch dabei auch nicht in Ausreden – sei ehrlich gegenüber dir selbst.

Schließlich schreibst du das Schlaf-Tagebuch nicht für deinen Chef, für deinen Lehrer oder einen Therapeuten, sondern für DICH GANZ ALLEINE!

Alleine die Tatsache, dass du bereit bist, an dir nachhaltig zu arbeiten, hat ein großes Lob verdient. Es gebührt Respekt und große Achtung, dass du deiner Schlafprobleme mit einem genauen Wochenplan und der Umsetzung der Maßnahmen auf den Grund gehst. Glückwunsch!

Wenn du nun die drei befüllten Spalten der 3. Woche betrachtest – wie geht es dir dabei? Bist du auch ein wenig stolz darauf, was du alles schon verändert hast? Das wäre erstrebenswert – noch nie ist ein Meister vom Himmel gefallen und hat gleich am Anfang alle seine Ziele erreicht!

Wenn es nun um die Bereiche geht, die nur unter sehr erschwerten Bedingungen oder gar nicht geklappt haben, empfehle ich dir folgende Vorgehensweise:

1. Es ist nicht schlimm, wenn du nicht bei allen Aufgaben sofort Erfolge feiern konntest. Bitte verzeihe dir kleine Fehler – beim nächsten Mal klappt es besser! Gib nicht auf und kämpfe weiter für deine dir wichtig erscheinenden Ziele!
2. Überlege dir in Ruhe, was du verändern kannst, um alle deine Wochenaufgaben zu erfüllen. Brauchst du vielleicht einfach nur etwas mehr Zeit, um die Aufgaben rund um den Haushalt besser zu organisieren? Manchmal ist es am Anfang etwas schwer, sich in Sachen Sport zu überwinden, wenn der Muskelkater einkehrt. Tröste dich – aller Anfang ist schwer. Wer hingegen trainiert und geübt ist, denkt irgendwann einmal gar nicht mehr über gesunde Lebensweise, Sport und das Vital-Food am Abend nach.
3. Hast du vielleicht erkannt, dass zwei getrennte Schlafzimmer für ein bestimmtes Zeitfenster doch besser sind als sich die ganze Nacht das „Säge-Werk“ des Partners anzuhören? Hier ist es angebracht, eine bedachtsame Vorgehensweise zu pflegen. Schließlich willst du den Partner sicher nicht verletzen. Auch eine Schnarch-Schiene ist nicht das ideale Geburtstagsgeschenk für deinen Liebsten. Deshalb ist es logisch, dass nicht alle Maßnahmen sofort innerhalb kurzer Zeit mit Erfolg umgesetzt werden können.
4. Manche Aufgabenstellungen sind jedoch auch einfach nicht erfüllbar. Der Lärm auf der Straße im Sommer ist nicht von heute auf morgen abzustellen. Du kannst jedoch überlegen, dein Schlafzimmer in einen anderen Raum zu verlagern oder nur noch mit Lärmschutz die Nachtruhe zu suchen.

Du siehst: in dieser 3. Woche geht es um Erkenntnisse, die du aus deinem Schlaf-Tagebuch gewinnst. Dabei gilt es nicht nur Erfolge zu feiern, sondern weiter auf die Zukunft zu bauen, damit du, nach und nach, immer intensiver an deinem gesunden Schlaf arbeiten kannst.

Dinge verändern sich – so ist es auch in Sachen Schlaf. Bitte gehe deshalb behutsam und wachsam mit diesen Erkenntnissen der 3. Maßnahmen-Woche um. Es ist wie immer im Leben – einige Dinge hast du sicher schon für dich geschafft – andere liegen noch vor dir.

Wichtig ist: Verzeihe dir kleine Fehler und die Tatsache, dass du nicht jeden Tag mit gleichen Erfolgen glänzen kannst. Sei stolz auf dich, dass du Schritt für Schritt deine Schlaf-Analyse umgesetzt hast und dadurch sicher ein ganzes Stück schlauer geworden bist.

In dieser 3. Woche können jedoch auch ganz andere Kenntnisse ans Tageslicht gelangen, die ich hier nicht alle aufzählen kann. Zum Beispiel ist es unter Umständen doch sinnvoll, in einem Schlaflabor deinen Schlaf-Phasen genau auf den Grund zu gehen. Alpträume gehören vielleicht mithilfe eines Therapeuten analysiert. Du kannst jetzt selbst wissen, dass du am Abend keinen Alkohol verträgst, obwohl es dir schwerfällt, jeden Tag darauf zu verzichten.

Resümee der 3. Woche:

Eines steht fest: Glückwunsch, dass du die 3 Wochen deiner Wochenaufgaben gemeistert hast! Es gab sicher Höhen und Tiefen während dieser Zeit. Fest steht, dass es auf alle Fälle einen Gewinn für dich und dein Schlafverhalten darstellt, dass du während dieser Zeit viele Einträge in dein Schlaf-Tagebuch notiert und an dir gearbeitet hast. Klasse – weiter so!

6. Zukunftsaussichten in Sachen dauerhafter, gesunder Schlaf

Natürlich ist jetzt nicht alles rund um den gesunden Schlaf für dich geregelt, was geregelt sein sollte. Nach den 3 Wochen, in denen du zum Traumschlaf gelangen willst, geht es weiter: Wie willst du in Zukunft deinen Schlaf für dich im Alltag verbessern?

Hierbei solltest du folgende Vorgehensweise an den Tag legen:

1. Behalte alle Strategien, die du mit Erfolg umsetzen konntest, unbedingt in deinem Alltag bei!
2. Woran willst du noch arbeiten und wie genau kannst du weitere Ziele erreichen? Bereite dir zu diesem Thema weitere Gedanken und notiere dir diese ruhig in dein Schlaf-Tagebuch.
3. Beantworte dir bitte die Frage: Wie kannst du deine Familie weiterhin mit einbeziehen, damit du in Sachen guter Schlaf auf Dauer weiterhin Fortschritte erzielst? Sicher kann auch das ein oder andere Familienmitglied von deinem neu gewonnenen Wissen profitieren.
4. Bestimmt hast du weitere Ideen für deine Zukunft, was du in Sachen Sport, guter Ernährung und Abgrenzung in absehbarer Zeit noch erreichen kannst.
5. Bitte behalte es bei, gesunde Kräuter, die einen beruhigenden Effekt mit sich bringen, regelmäßig zu konsumieren.
6. Was spricht dagegen, täglich frischen Sauerstoff zu tanken? Wer weiß – vielleicht willst du dir den Hund des Nachbarn ausborgen, damit du täglich an die frische Luft in den Wald gehst?
7. Dein Schlafverhalten zu verbessern kann auch bedeuten, dich besser im Job durchzusetzen! Stärke dadurch dein Selbstbewusstsein.

8. Ein gesunder Selbstwert ist das A und O für eine psychische und physische gute Verfassung in deinem Leben.
9. Bring auch in Zukunft deinen Stoffwechsel regelmäßig in Schwung. Warum? So können deine Organe gut im gesunden Schlaf-Wach-Rhythmus arbeiten – Herz und Kreislauf sowie deine Gehirnfunktionen arbeiten somit agil für dich!
10. Wer weiß – mit gesundem, ausgewogenen Schlafverhalten kannst du sicherlich ganze Bäume ausreißen. Vielleicht willst auch du mit Entspannungsübungen und neu gewonnenen Erkenntnissen für dich einen Neuanfang in deiner Persönlichkeitsentwicklung wagen?

All diese Beispiele sind natürlich nur einfache Ideen, die deine Zukunftsperspektiven in Bezug auf ausgewogenes Schlafverhalten bereichern können! Es ist, wie immer im Leben – auch du lernst niemals aus! Mit neuen Energien kannst auch du für dich und dein ganzes Leben nur gewinnen! Viel Erfolg dabei!

Fazit

Ist es dir leicht oder schwer gefallen, mein Buch zu lesen? Jedenfalls freue ich mich, dich jetzt im Club der klugen, gesunden Schläfer willkommen zu heißen! Ich bin mir ganz sicher – du wirst nicht alle Ideen für dich annehmen und durchführen lernen. Nicht alle Tipps passen zu jedem Menschen. Dennoch weiß ich, dass du dich mit gesundem Schlafverhalten aus einer gesundheitlichen Krise retten kannst.

Oft sind es ja auch nur ganz einfache, äußere Lebensumstände, die unseren Schlaf stören. Diese Störfaktoren gilt es jedoch schnell abzuschalten. Bei Stress und psychischen Faktoren sieht es hier schon ein wenig anders aus. Gerade aus diesem Grunde solltest du dir selbst mit Liebe und Zeit den benötigten Raum einräumen, damit du den Alltags-Stress beseitigen kannst. Das Gedankenkarussell darf sich am Abend nicht unaufhaltsam weiterdrehen.

Stress ist der Killer Nummer 1 unserer Gesundheit. Er führt nicht nur zu Schlafstörungen, sondern auch zu anderen körperlichen und seelischen Belastungen wie Migräne, Verdauungsproblemen oder Konzentrationsstörungen. Bitte achte deshalb genau darauf, dass du den inneren Stress abbauen kannst. Ich hoffe, in meinem Buch hast auch du zu diesem Thema gut umsetzbare Strategien gefunden.

Bitte gewähre folgenden Zauberworten unserer schnelllebigen Zeit des 21. Jahrhunderts großen Respekt: Achtsamkeit und Entschleunigung!

Beide Worte passen zum gesunden Schlafverhalten. Sei dir selbst gegenüber achtsam! Entschleunige dich vom Stress im Alltag. Sind das nicht die besten Eintrittskarten für einen auf Dauer gesunden Schlaf?

Schlafen will gelernt sein – das ist eine große Herausforderung in der modernen Zeit. Guter Schlaf ist die Basis für ein gesundes Leben. Wie heißt es so schön? Erst wenn wir unsere Gesundheit nicht mehr haben, wissen wir diese zu schätzen. Das gleiche gilt auch für guten Schlaf. In diesem Sinne: Schlafe gut – und das auf Dauer!

Bonus

Mit dem Kauf dieses Buches erhältst du für eine begrenzte Zeit das folgende E-Book gratis:

Schlaf-Kompakt-Ratgeber: Schnelle Antworten auf die häufigsten Fragen - Bonus Tipps - Fatale Fehler, die du vermeiden musst - Kräuterkunde für den natürlichen Schlaf.

Gib einfach folgendes in deinen Browser ein, um direkt auf die Download-Seite für den gratis Bonus-Ratgeber zu gelangen:

bonus.katjawenzel.com

Ingram Content Group UK Ltd.
Milton Keynes UK
UKHW042110280423
420980UK00003B/60